Et si j'apprenais

la Peinture sur céramique

Éditions
Place des Victoires

ÉDITEUR
J. Vigué
CHEF DE RÉDACTION
C. Lavigne
AUTEUR DES EXERCICES ET DES TEXTES
P. Navarro
PHOTOGRAPHIES
S. Garcés
GRAPHISME
P. Nestares
MAQUETTE
M. Hernández Rolón
ARCHIVES PHOTOGRAPHIQUES
Gorg Blanc

TITRE ORIGINAL
DECORACIÓN DE CERÁMICA

ADAPTATION FRANÇAISE
Patricia Rey

6, rue du Mail – 75002 Paris

ISBN 2-84459-056-X
Dépôt légal : mai 2003

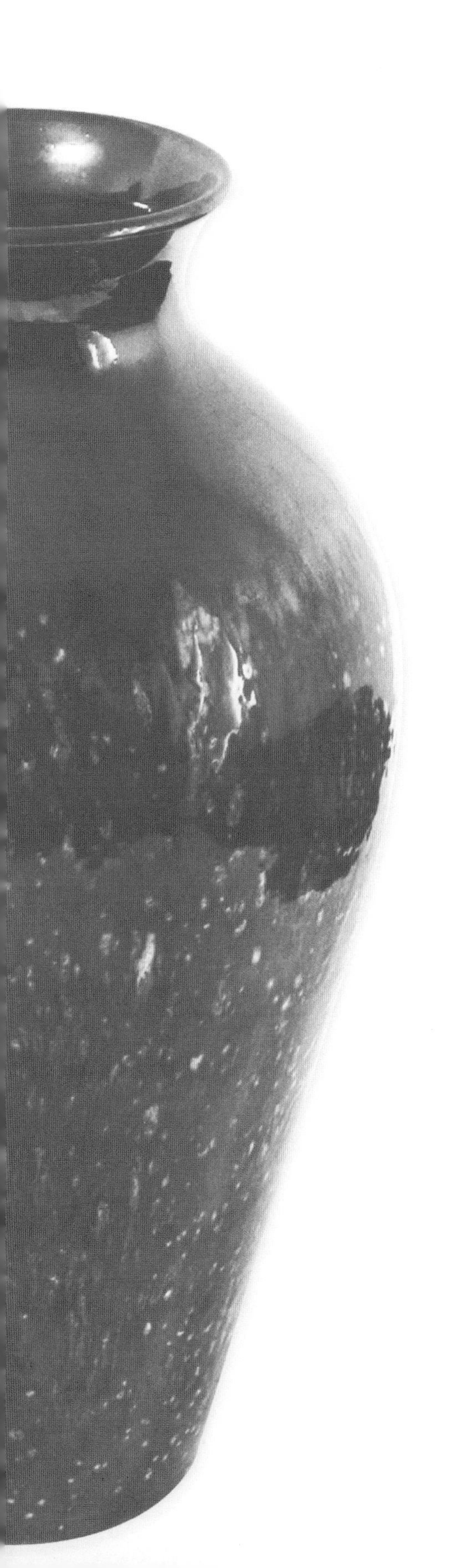

Introduction

Rares sont ceux qui, au moins une fois dans leur vie, n'ont pas eu envie de peindre. Que l'on soit plus ou moins doué, la peinture est un art séduisant. Il suffit pour s'en convaincre d'observer les enfants qui, dès leur plus jeune âge, s'appliquent à peindre et à colorier.

La peinture sur céramique n'est pas seulement une méthode de décoration. C'est également un style de peinture qui vous procurera de très agréables moments et de grandes satisfactions.

Pour peindre sur céramique, même lorsque l'on désire réaliser des motifs élaborés, point n'est besoin d'être un artiste ni un dessinateur. Avec de la volonté, un peu d'attention et d'habileté, on peut réussir des décors assez complexes. La création d'un bel objet apporte une fierté et une satisfaction profondes, qu'il soit destiné à être offert ou à rehausser votre lieu de vie.

Comme pour toute chose, on commencera par des réalisations assez simples. Puis, la dextérité venant avec un peu de persévérance, il deviendra possible de peindre des motifs plus complexes et de se risquer à employer des techniques plus sophistiquées qui requièrent un certain apprentissage.

L'objet de ce livre est de vous présenter les différentes techniques de peinture sur céramique, des plus faciles et des plus élémentaires aux plus difficiles. Peut-être vous plairont-elles toutes, mais il est fort probable que votre préférence ira très vite à l'une d'elles.

À partir des leçons et conseils que vous trouverez dans cet ouvrage, vous commencerez par vous exercer à reproduire les motifs proposés. Mais vous tenterez bientôt de nouvelles formes pour vous perfectionner et créer de superbes objets peints.

Ce livre vous fournira à la fois une aide efficace dans la pratique de la peinture sur céramique et un agréable moment de détente. Il sera toujours, à vos côtés, un ami fidèle prêt à vous aider dans cette captivante aventure.

N'ayez crainte : si vous y prenez goût, vous ne serez pas long à vous passionner pour la peinture sur céramique et à contempler avec joie vos réalisations.

UN PEU D'HISTOIRE

Le mot « céramique » désigne tous les mélanges d'argile et d'eau qui peuvent être cuits, comme la terre cuite, le grès ou la porcelaine. Bien que de composition différente, ils font partie d'un même processus d'élaboration. Dès l'ère néolithique, l'homme a modelé l'argile. La céramique a accompagné l'évolution de l'être humain au cours des millénaires.

• La décoration de la céramique est apparue en même temps que les premiers vases. Il ne fait aucun doute qu'un ornement d'argile, si simple soit-il, ajouté sur les parois d'un vase, peut être considéré comme une décoration.

Récipient en céramique de l'école mésopotamienne, provenant d'une nécropole de Sialk, en Iran.

• Plus tard, en utilisant des argiles de différentes couleurs, l'homme est parvenu à diversifier le décor des objets.

Pot en terre dont la décoration comprend l'ajout d'un élément. Ici, une petite rosace.

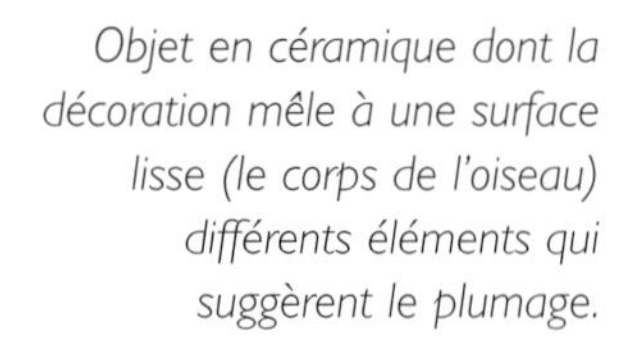

Objet en céramique dont la décoration mêle à une surface lisse (le corps de l'oiseau) différents éléments qui suggèrent le plumage.

Amphore attique décorée de personnages peints en noir sur un fond de terre cuite. Ici est représenté Achille tuant Penthésilée (époque étrusque, 525 avant Jésus-Christ, British Museum, Londres).

• Vers 2 600 avant Jésus-Christ, les décors étaient généralement constitués de fleurs et d'animaux.

Jarre préhellénique datant de l'époque minoenne (XXe-XIXe siècles avant Jésus-Christ).

• La Grèce antique marque une période très importante dans la décoration sur céramique. En effet, c'est à cette époque qu'apparaît le dessin peint en noir sur un fond de terre cuite.

• Au cours du premier millénaire après Jésus-Christ, la Chine est le premier fabricant d'objets en céramique. Certes, dans cette partie du monde, on travaillait déjà l'argile à l'ère néolithique et l'on utilisait depuis fort longtemps les vernis pour protéger les objets en céramique. Mais ce n'est qu'au cours du IVe siècle après Jésus-Christ que fut perfectionnée la technique du vernis au plomb.

Vase en céramique décoré avec des terres de différentes teintes.

Céramique japonaise cloisonnée obtenue par le passage d'une fine couche de peinture sur un émail opaque avant la cuisson.

Plusieurs objets en céramique. À gauche, jatte coréenne de la seconde moitié du XVIe siècle ; au centre, pot à eau (Mizusashi raku) des XVIIIe-XIXe siècles ; à droite, tasse à thé en raku noir d'Ichinyu datant de la seconde moitié du XVIIe siècle.

• C'est seulement sous la dynastie Tang que fut découverte, puis développée, la technique de fabrication de la porcelaine, la plus fine des céramiques.

Jeu de « tête à tête » en céramique de Sèvres. Collection Pilar Navarro.

• En Europe, la poterie médiévale servait exclusivement au stockage des denrées périssables et à la cuisine. Ce n'est qu'au cours du XVe siècle que les objets en céramique commencèrent à orner les intérieurs. On peut citer à cet égard la céramique florentine des Médicis au XVIe siècle. Les objets destinés à la décoration étaient peu nombreux à cette époque.

• Aux XVIIe et XVIIIe siècles, les Allemands parvinrent à hisser la céramique au rang du verre et de l'argent. À cette époque, la porcelaine était en plein essor, et c'est ainsi que les fabriques de Meissen, près de Dresde, en Allemagne, et de Sèvres, en France, acquirent leurs lettres de noblesse en produisant une porcelaine de grande qualité. Des motifs datant de cette époque sont encore reproduits aujourd'hui.

• Dans les autres pays d'Europe, citons la poterie de Tudor, anglaise, et la céramique hollandaise de Delft, qui s'est aussi développée en Angleterre.

• À la fin des XVIIIe et XIXe siècles, la demande d'objets en céramique s'accroît non seulement en Europe, mais aussi en Amérique du Nord. De grandes manufactures telles celles de Wedgwood, Spode, Limoges, Sèvres et Meissen remplacent petit à petit le travail de l'artisan par un produit standard de qualité équivalente.

• Ce n'est qu'à la fin du XIXe siècle que l'artiste voit son talent reconnu de nouveau. En Angleterre se forme le mouvement Arts & Crafts pour lequel la valeur de la céramique est liée à celle de l'artiste. L'usage de la céramique en tant qu'objet utilitaire et décoratif ne s'est jamais démenti jusqu'à nos jours.

Différentes pièces de céramique anglaise, de couleur bleue et blanche, datant de la fin du XVIIIe siècle.

LES PEINTURES

Pour décorer une céramique, des peintures de compositions différentes peuvent être utilisées. Vous les choisirez en fonction de la technique employée et du genre de décoration souhaité. Certaines peintures ne tolèrent pas la cuisson tandis que d'autres ne peuvent être travaillées à froid ; certaines supportent le vernis et d'autres non. Enfin, ce sont elles qui donnent du caractère à l'objet décoré. Ce chapitre présente les peintures utilisées pour peindre sur céramique.

Les peintures à l'eau
Elles s'emploient à froid ou à basse température. Elles sont brillantes, solubles dans l'eau et sèchent en 4 heures. Toutefois, 10 à 15 minutes suffisent avant l'application d'une deuxième couleur. Si vous les passez au four, leur séchage prendra 24 heures.

Les peintures à l'huile
Utilisées à froid ou à basse température, elles sèchent en 24 heures. Elles peuvent être diluées avec un solvant synthétique. Les peintures pour céramique à froid servent à décorer des objets non vernis. Toutefois, vous devrez passer un enduit pour boucher les pores de l'objet à décorer avant de le peindre.

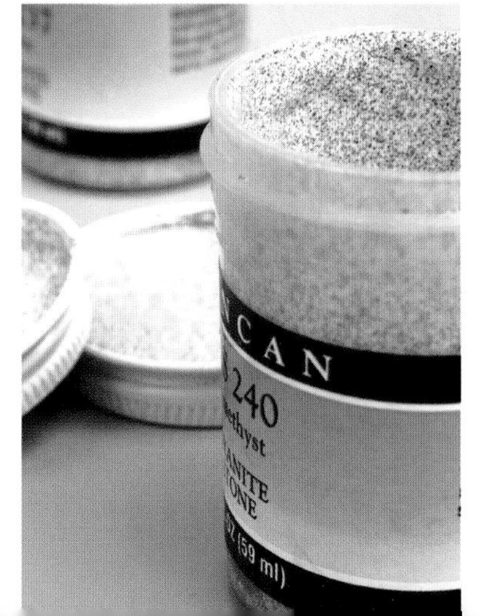

Les peintures spéciales
Elles permettent d'obtenir un fini à l'aspect rustique imitant la pierre. Ces peintures offrent une grande variété de couleurs.

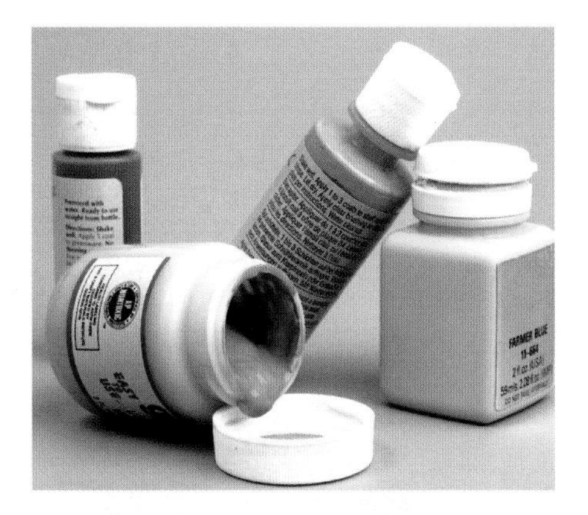

Les peintures sous émail

Elles sont utilisées avant d'appliquer le vernis ou l'émail sur l'objet en céramique. Il s'agira d'une céramique non émaillée (ou biscuit) ou en terre blanche, rouge ou rouge engobé. Ces peintures peuvent être translucides, opaques ou semi-opaques.

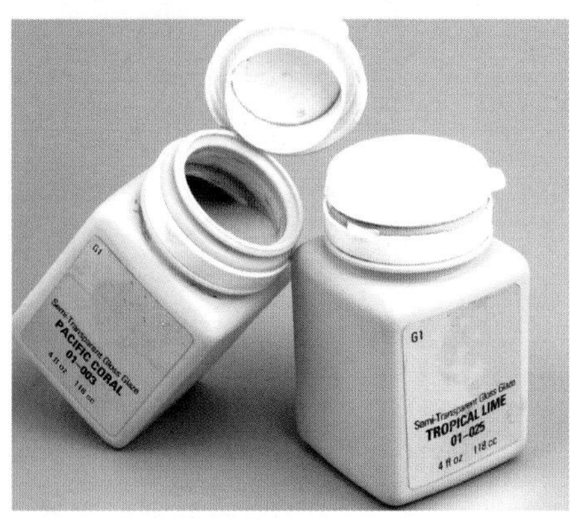

Les glaçures ou émaux

Également appelés vernis ou glacis, ils forment un enduit vitrifié sur l'objet après cuisson. Leur gamme est très étendue et chacun a des caractéristiques bien définies.

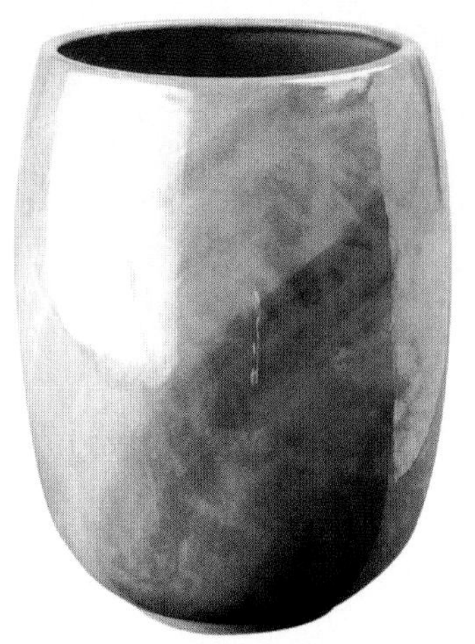

Les peintures sur émail

Elles s'appliquent par-dessus l'émail ou la porcelaine. Elles se présentent sous forme de pigments en poudre que l'on mélange à des huiles ou essences grasses jusqu'à obtention d'une crème fluide.

Les pigments métalliques et les lustres

Ces peintures ne se mélangent pas au vernis mais forment une pellicule sur celui-ci.

LE MATÉRIEL

Comme toute discipline des arts appliqués, la peinture sur céramique requiert quelques outils. Nombre d'entre eux sont très simples mais chacun remplit une fonction spécifique et s'avère nécessaire, même si le résultat dépend beaucoup de la main et de l'habileté de l'artiste. Ce chapitre présente les outils les plus fréquemment utilisés et les plus indispensables.

Les pinceaux
Ils permettent d'étendre la peinture sur l'objet à décorer. Le choix est vaste tant par la diversité de leurs formes que par leur qualité : pinceaux ronds, plats, en forme d'éventail, plats à pointe arrondie (comme les pinceaux à maquillage), pinceaux traceurs…
Les pinceaux en poil de martre, les meilleurs, sont très onéreux. On peut trouver des pinceaux plus abordables et de bonne qualité en crin, en poil d'écureuil, de blaireau, de chameau, etc.

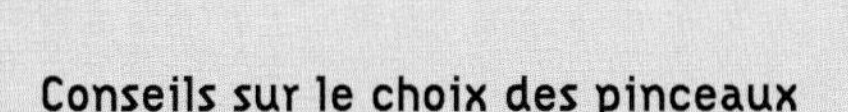

Conseils sur le choix des pinceaux

- Des pinceaux de bonne qualité sont indispensables.
- Entretenez-les soigneusement pour obtenir des résultats corrects.
- Ne les laissez pas trop longtemps chargés de peinture.
- Votre séance de peinture terminée, rincez abondamment vos pinceaux à l'eau froide savonneuse afin d'éliminer toute trace de peinture, puis passez-les à nouveau sous l'eau froide. Enfin, lissez-en délicatement les poils pour leur redonner leur forme initiale.
- Ne chargez pas trop votre pinceau lorsque vous peignez, vous éviterez ainsi les coulures qui pourraient abîmer votre dessin.
- Ne laissez pas tremper trop longtemps votre pinceau dans l'eau ou le solvant car il se déformerait et ses poils seraient irrémédiablement endommagés.
- Si vous ne vous servez pas de votre matériel pendant plusieurs jours, lavez-le, faites-le sécher et conservez-le à l'abri de la poussière.

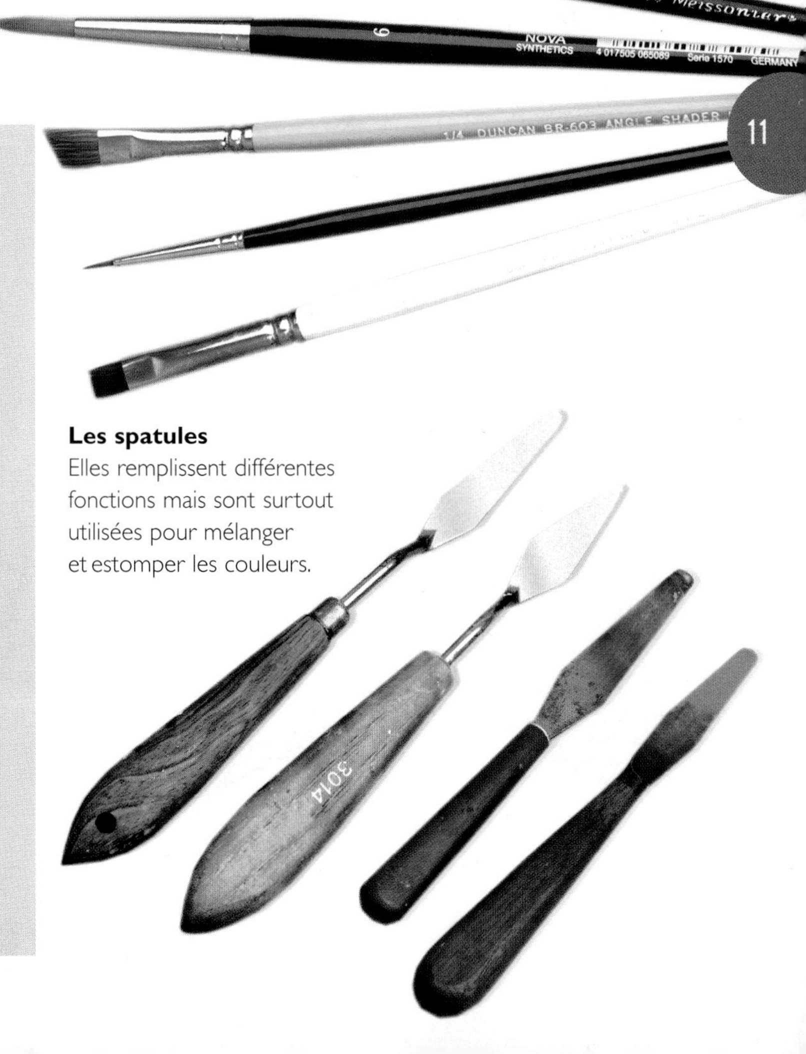

Les spatules
Elles remplissent différentes fonctions mais sont surtout utilisées pour mélanger et estomper les couleurs.

Les crayons

Les crayons servent à dessiner ou à reproduire sur du papier calque les motifs de décoration. Vous aurez besoin d'un crayon à mine tendre 2B pour la faïence et d'un crayon à mine dure H ou 2H pour reproduire le dessin.

Le papier calque

Il permet de reproduire sur la céramique les motifs choisis. Les dessins peuvent être empruntés à des livres ou à d'autres objets.

Le papier carbone à base de graphite

Il permet de transférer un dessin sur la céramique à décorer. Il est recommandé d'utiliser du papier carbone au graphite pour éviter de laisser des traces sur la céramique. De plus, les traits du dessin reproduit doivent être nets et sans bavure.

Les éponges

Naturelles ou synthétiques, petites ou grandes, allongées ou rondes, elles permettent de reproduire des textures différentes. Leur propreté est essentielle, vous les nettoierez donc méticuleusement avant de les ranger.

Les cotons-tiges

Ils se révèlent très utiles pour éliminer la peinture lorsqu'elle est encore fraîche ou pour ajouter de petites touches de peinture à des endroits précis.

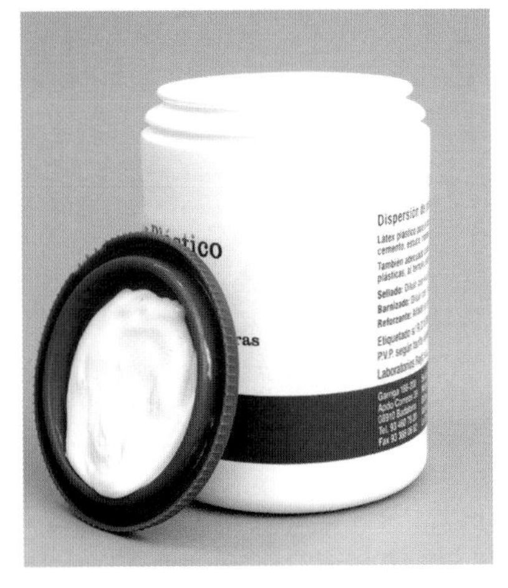

Le vernis de réserve

Il permet de créer une réserve plastique mais ne supporte pas la cuisson. Très facile à retirer, il s'applique directement avec le pinceau.

Le cutter ou stylet

Cet instrument permet de couper ou de corriger un motif peint sur la céramique lorsque la peinture est sèche. Pour un bon résultat, la pointe du cutter doit toujours être propre et parfaitement affûtée.

Les gommes

Comme leur nom l'indique, elles servent à effacer la peinture et à faire disparaître les petites erreurs.

Le ruban adhésif

Vous placerez du ruban adhésif aux endroits qui ne doivent pas recevoir de décor, afin de les réserver.

Le film autocollant

Il sert à masquer les parties qui ne doivent pas être peintes et permet d'obtenir toutes les formes voulues. On l'appliquera sur l'objet à décorer avant de peindre les motifs et on le retirera une fois le travail terminé et la peinture sèche.

La cire
Elle est, elle aussi, employée pour réserver une surface que l'on ne veut pas peindre. Une couche de cire protège la céramique lors de l'application d'une solution aqueuse. La cire se volatilise et disparaît à la cuisson.

L'encre de Chine
Elle permet de dessiner directement sur la porcelaine.

Les palettes, carreaux de céramique, récipients à godets
Ces supports destinés à recevoir de petites quantités de peinture empêchent celle-ci de sécher trop rapidement pendant son utilisation.

Les instruments de découpe et d'estampage
Différents outils permettent de couper, limer ou estamper : stylets, scalpels, pointes, poinçons, etc.

Le compas
Il est très utile pour tracer des cercles et calculer le rayon de certains motifs. On ne lui demande pas une précision parfaite. Toutefois, il est préférable de choisir un compas pouvant recevoir un crayon à papier.

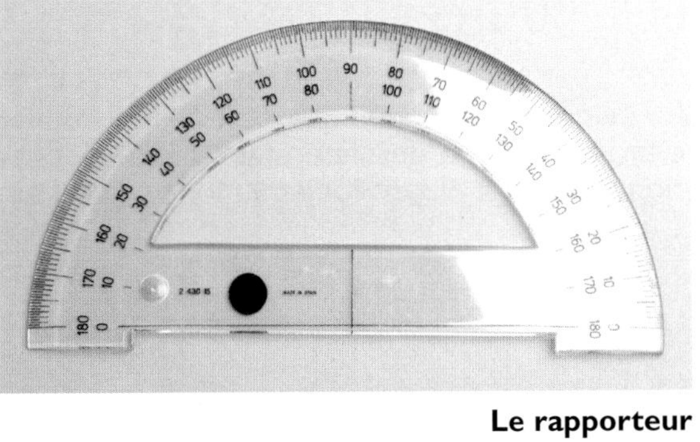

Le rapporteur
Utilisé pour dessiner différents motifs, il permet de calculer les angles avec précision.

La règle graduée
On préférera une règle en métal graduée en centimètres, plutôt qu'une règle en plastique, car elle est plus précise et plus solide.

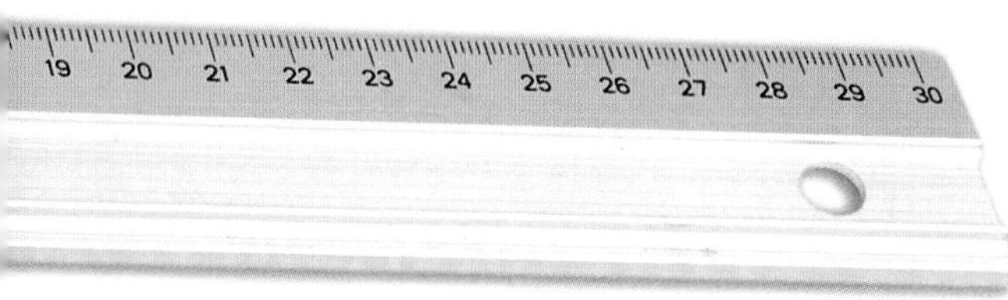

Les flacons et autres récipients
Généralement en verre et de tailles différentes, vous y transvaserez la peinture pour pouvoir travailler plus facilement. Ils devront être hermétiques pour éviter tout dessèchement de la peinture.

Les chiffons ou papiers absorbants
Ils permettent de nettoyer l'objet à peindre, ainsi que les pinceaux et autres outils. Si vous utilisez un chiffon, celui-ci ne doit pas s'effilocher ni laisser de peluches. Le papier absorbant s'avère particulièrement adapté.

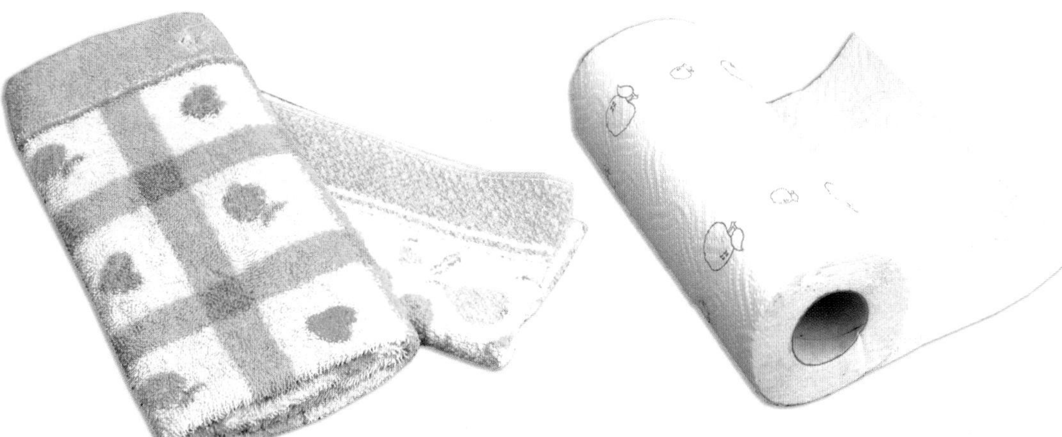

LES FOURS

La peinture sur céramique doit rester stable, c'est pourquoi la dernière étape de la décoration consiste à placer l'objet au four. La chaleur fixera la peinture. La température du four sera plus ou moins élevée selon la peinture utilisée et la base sur laquelle elle a été appliquée.

Les fours sont de formes différentes et fonctionnent à l'électricité, au gaz, au bois, au charbon. Mais ce sont les fours électriques qui conviennent le mieux à l'atelier d'un amateur car leur utilisation est simple et ils ne nécessitent pas de cheminée d'évacuation.

Four électrique à chargement supérieur pouvant atteindre 1 200 °C.

Les peintures à froid

Ces peintures durcissent lorsqu'elles sont cuites à basse température. Les fours domestiques, qui atteignent 200 °C, conviennent parfaitement pour les fixer.

Les peintures sous émail

Comme leur nom l'indique, on les applique sous la couche d'émail ou de vernis. Leur fixation demande une température de 900 à 1 075 °C.

Les peintures sur émail

La température qui permet de fixer ces peintures se situe entre 605 et 850 °C.

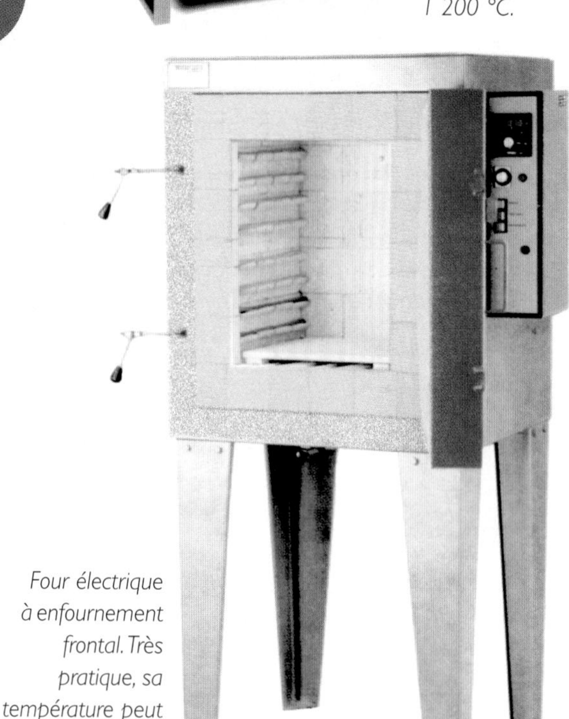

Four électrique à enfournement frontal. Très pratique, sa température peut monter jusqu'à 1 340 °C.

Four domestique dont la température peut monter jusqu'à 200 °C. Il convient très bien à la cuisson des peintures à froid.

THÈME 1

LA PEINTURE À FROID

Vous allez accomplir vos premiers pas dans le monde de la peinture sur céramique. Commencez de préférence par la peinture à froid, l'une des méthodes les plus simples. Il s'agit de peintures à l'eau, faciles à appliquer. Leur inconvénient est qu'elles ne permettent pas de réaliser des motifs très détaillés. Le plus difficile consiste à bien étaler la peinture sans laisser de traces de pinceau.

Le choix du motif

Avant de commencer à peindre, il faut tenir compte de plusieurs éléments essentiels : la forme de l'objet à peindre, l'adéquation du motif à cet objet et à son usage et le choix des couleurs. Cette réflexion préalable s'avère déterminante pour l'esthétique de la décoration. Elle est relativement simple tant le choix de dessins possibles et faciles à réaliser est vaste.

Le dessin d'enfant
La peinture à froid a pour caractéristique essentielle la simplicité. Les motifs enfantins, tracés en quelques coups de crayon et occupant des espaces bien délimités, sont parfaits pour la décoration à froid.

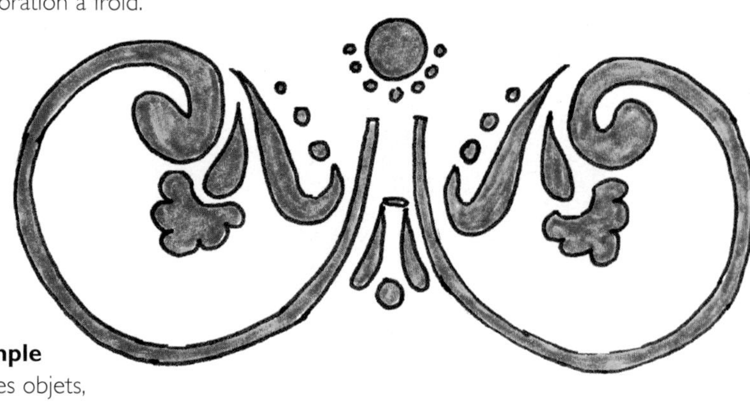

Le dessin simple
Il représente des objets, des personnages ou divers motifs réalisés assez schématiquement. Bien que créé en quelques traits, l'ensemble doit clairement représenter le sujet, tels les cerises et les champignons de cet exemple. La simplicité du dessin permettra de décorer l'objet sans dénaturer sa forme qui, dans tous les cas, doit être respectée.

Les grecques
Ce type de dessin convient parfaitement à la peinture à froid. Les grecques, assez simples à dessiner, sont également faciles à peindre et beaucoup d'entre elles s'exécutent avec une couleur unique. La seule difficulté de ces motifs consiste à le répéter à l'identique sur tout le support.

La couleur

La couleur est un aspect déterminant du dessin. Selon le motif choisi, les couleurs seront vives ou pastel. Certains dessins sont monochromes, mais ils n'en sont pas moins attrayants. Quel que soit votre choix, n'oubliez pas que de la couleur choisie peut dépendre la réussite du travail.

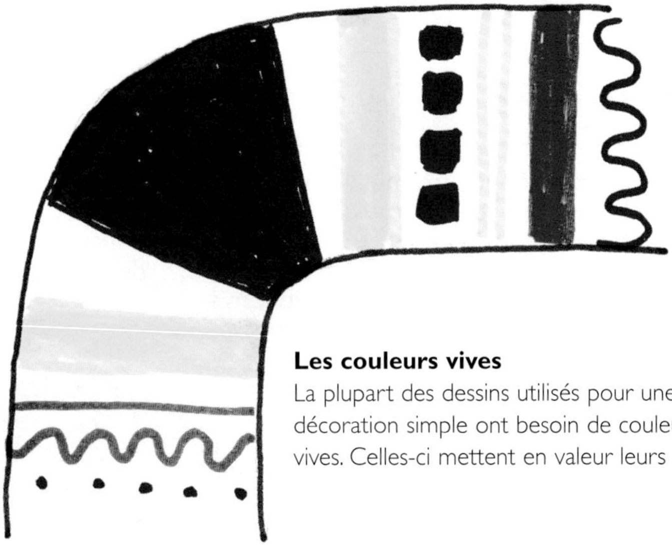

Les couleurs vives
La plupart des dessins utilisés pour une décoration simple ont besoin de couleurs vives. Celles-ci mettent en valeur leurs détails.

Les gammes de couleurs
À partir d'une couleur unique peuvent être obtenues des teintes de tonalités différentes. Ainsi, un vert neutre peut donner un autre ton de vert selon la couleur que vous lui ajouterez. La couleur et la quantité de la peinture ajoutée à la couleur de base permettent de créer une autre gamme de couleur qui conférera volume et relief au dessin.

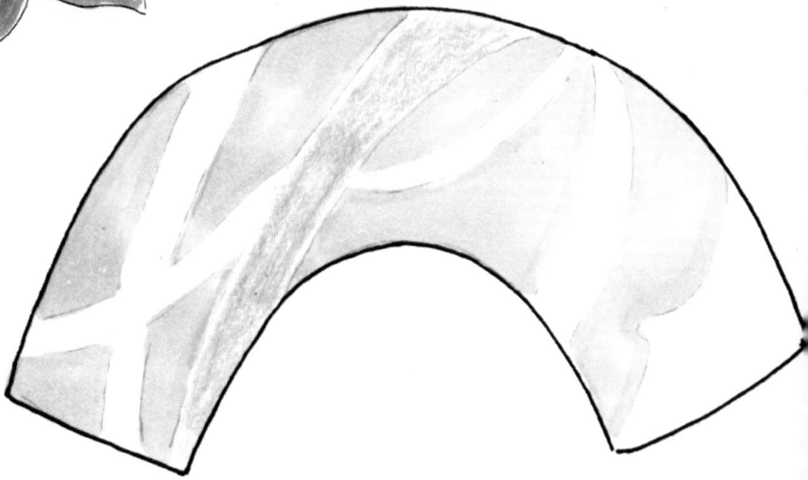

Les couleurs pastel
Selon le motif choisi, vous pourrez marier des tons pâles. Ces couleurs agréables et douces sont, par définition, peu appropriées à la peinture à froid. Mais ce sont souvent celles qui conviennent le mieux à la peinture sur céramique, car la sensation de calme qu'elles procurent repose la vue.

Transférer un dessin

Lorsqu'on manque d'expérience pour dessiner directement sur un objet en céramique, on peut décalquer le motif et le transférer. Cette méthode, qui n'est pas la plus mauvaise de toutes, permet de commencer dans de bonnes conditions le travail de décoration.

Le papier carbone

Pour décalquer un motif, il est recommandé d'utiliser du papier carbone au graphite qui ne laisse pas de traces sur la céramique. Vous veillerez à ce que votre feuille de papier carbone et votre papier calque soient de la même taille.

Décalquer un dessin

Placez votre feuille de papier calque sur le dessin et, avec un crayon à papier, reproduisez méticuleusement les lignes et contours du motif.

Assurez-vous toujours que le papier carbone est bien positionné et du bon côté, sous peine de devoir recommencer.

Une façon simple de reproduire un dessin

Mettez votre feuille de papier calque à l'envers et hachurez les contours du dessin avec votre crayon à papier à mine tendre. Cette technique rend inutile le papier carbone.

Les différentes touches de pinceau

Dans la création d'un décor, la manière de passer le pinceau a une grande importance. Elle varie selon le motif et dépend non seulement de la grosseur et de la forme du pinceau, mais aussi de la façon de le tenir. Avec un peu d'expérience, vous saurez choisir la technique qui convient, en fonction de la peinture et du motif choisis.

Les tracés larges

Une fois votre pinceau chargé de peinture, exercez une légère pression en le faisant glisser sur l'objet à décorer et mettez en couleur la forme désirée. La pression doit être constante pour obtenir un tracé continu.

Les pointillés

Chargez légèrement votre pinceau et appuyez-en la pointe sur la surface en céramique. Une petite quantité de peinture se dépose et forme un point ou une virgule. Cette méthode permet de réaliser les détails d'un dessin.

Le profilage

Un pinceau ou un surligneur très fin permettent de souligner le profil d'un dessin. Manier un surligneur demande une certaine expérience en raison de la forme particulière de son extrémité. Mais vous acquerrez très vite la technique et l'habileté nécessaires.

Assiette décorative

Nous vous proposons dans ce chapitre de décorer une assiette. Sa surface plane et lisse se prête bien à la technique de la peinture à froid, relativement simple. Nous avons choisi un motif floral aux lignes sobres, rappelant une décoration à l'ancienne.

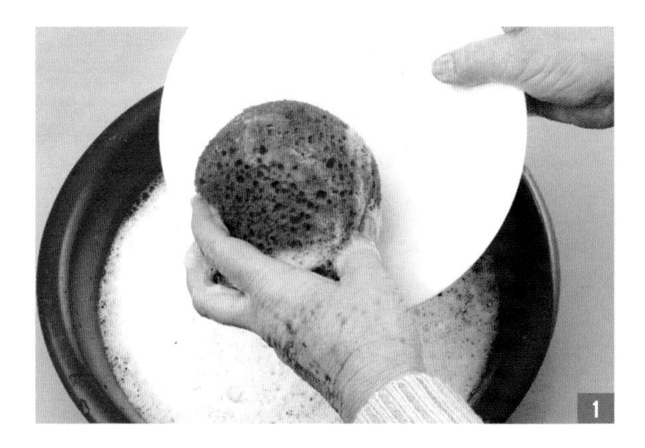

Voici le motif choisi pour peindre l'assiette.

1 Lavez soigneusement l'assiette avec de l'eau et un produit pour la vaisselle, puis séchez-la avec un torchon ou un papier absorbant.

2 À l'aide d'un papier calque, reproduisez directement le dessin sur l'assiette.

MATÉRIEL

1. Peintures à l'eau : bleu, rouge et jaune
2. Pinceaux ronds n°s 4 et 6
3. Récipient pour l'eau
4. Papier absorbant
5. Papier calque
6. Papier carbone
7. Crayon à papier à mine dure 2H
8. Crayon à papier à mine tendre 6B
9. Palette ou récipient à godets

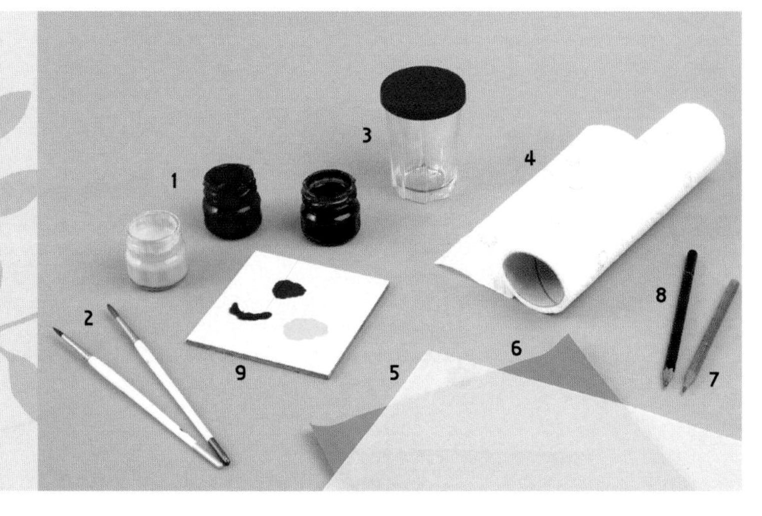

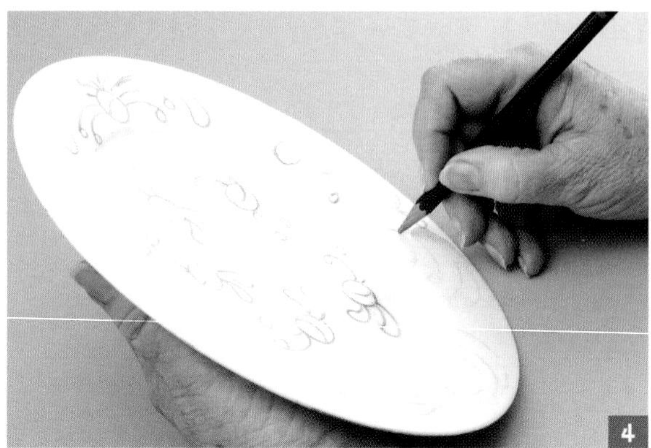

3 Placez le papier carbone, de la même taille que l'assiette, sur celle-ci. Pour éviter qu'il ne bouge, fixez-le avec du ruban adhésif, puis posez soigneusement le calque par-dessus.

4 Une fois le dessin reproduit sur l'assiette, selon le résultat obtenu, vous pouvez redessiner le contour des motifs avec le crayon à mine tendre. Veillez à ce que le trait soit toujours très fin.

5 Vérifiez que le pot de peinture est bien fermé et secouez-le, ou mélangez son contenu avec une baguette pour le rendre homogène.

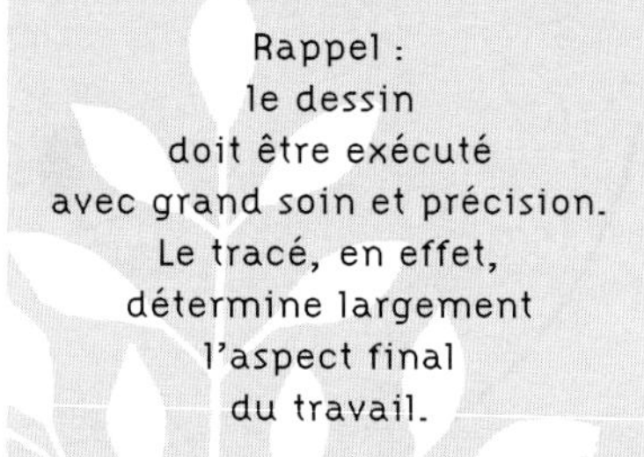

Rappel : le dessin doit être exécuté avec grand soin et précision. Le tracé, en effet, détermine largement l'aspect final du travail.

6 Versez une petite quantité de peinture rouge dans un godet ou sur un carreau de céramique qui vous servira de récipient ou de palette.

7 Chargez votre pinceau n° 4 de peinture rouge, mais sans excès, pour éviter que la peinture ne coule en abîmant votre dessin.

8 Appliquez la peinture sur le motif aux endroits voulus. C'est un travail minutieux, qui doit respecter la forme de chaque motif en évitant de déborder sur les tracés voisins.

9 Nettoyez soigneusement votre pinceau en le trempant et en l'agitant doucement dans un verre d'eau afin d'éliminer toute la peinture. Aucune trace de peinture ne doit subsister. Dans le cas contraire, elle pourrait en effet se mélanger aux couleurs que vous utiliserez ensuite et altérer la décoration.

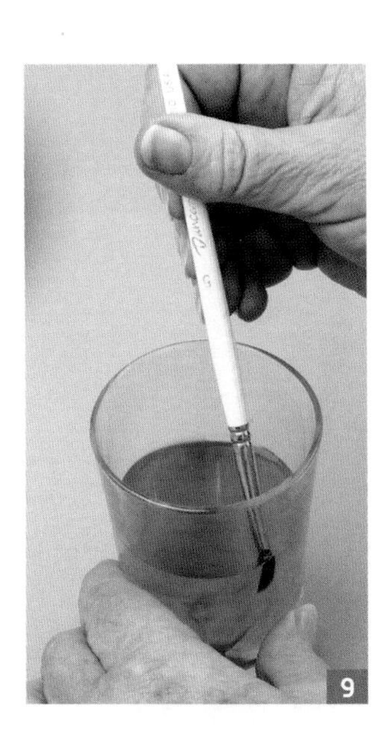

10 Procédez de la même façon avec la peinture bleue. Il vous faudra seulement en verser une plus grande quantité dans votre godet ou sur votre carreau de céramique, car cette couleur prédomine dans le dessin choisi.

Tenez votre assiette de manière à éviter que la main qui peint ne touche la peinture fraîchement appliquée.

11 Peignez les parties à colorer en bleu avec le pinceau propre et sec.

12 Une fois la peinture bleue appliquée, lavez le pinceau. Répétez les mêmes opérations que précédemment et peignez les parties qui doivent apparaître en jaune. Appliquez le jaune en dernier pour que le rouge ait le temps de sécher et pour éviter ainsi les coulures.

Voici le résultat de votre travail. Une fois la décoration terminée, quatre heures au moins seront nécessaires à votre assiette pour sécher complètement. Vous pourrez ensuite en disposer sans risquer de détériorer le motif.

THÈME 2

LA PEINTURE À FROID ÉLABORÉE

Les ombres

En peinture, le volume est souvent représenté par la combinaison d'ombre et de lumière. Il peut, selon le motif, utiliser d'une manière plus ou moins large la gamme des gris, c'est-à-dire des tons intermédiaires. Pour donner du relief à un dessin, il faut disposer les ombres à des endroits précis. Ces ombres qui, en théorie, contrastent avec la lumière que reçoit le dessin, doivent toutes être orientées dans la même direction pour conférer son équilibre au dessin.

Les lignes

Le contour de chaque élément du dessin doit être exécuté avec la couleur qui lui correspond. Les ombres se créent au moyen de quelques traits de la même couleur que celle du contour et dans le sens qui lui donne une apparence de volume. Il est possible aussi de n'utiliser qu'une seule couleur pour peindre votre motif ou, au contraire, de choisir une couleur différente pour chacun des éléments qui le composent.

Les variations de tons

Dans les feuilles représentées ci-dessous, les ombres sont de la même teinte que le motif mais dans un ton plus foncé. Ici, la même couleur a été utilisée sur toute la feuille pour créer cet effet d'ombre. En revanche, pour produire une impression de volume, vous devrez accentuer ou diminuer l'intensité de la couleur, selon le cas. Ce style de peinture est appelé « monochromatique ».

Les contrastes

Un effet d'ombre peut être obtenu avec une couleur qui donne du contraste et du volume. L'ombre peut appartenir à une gamme différente de celle utilisée pour foncer le dessin. L'effet d'ombre peut être obtenu en employant une couleur différente, si celle-ci se détache dans le dessin. Dans le dessin ci-dessus, les couleurs employées pour créer les ombres rehaussent l'intensité de l'ensemble.

Les réserves

Pour la bonne exécution d'un dessin, il est parfois nécessaire de différer la mise en couleur de certaines parties. Ces dernières sont appelées des réserves. Les réserves sont les négatifs des motifs peints.
Il existe plusieurs types de réserves adaptées aux exigences du dessin.

Réserves dessinées
Dans un même motif, certaines parties ne doivent pas être peintes. Leur forme et leur emplacement les rendent faciles à respecter. Dans ce cas, la réserve est simple. Il suffit de laisser ces parties en blanc ou de les peindre, si besoin est, dans une autre couleur.

Réserves au vernis de réserve
Recouvrez de vernis les zones à protéger. Après avoir peint votre motif, retirez avec précaution, à l'aide d'un cutter, les lambeaux de vernis. Cette méthode permet de peindre en toute tranquillité, sans craindre de déborder des contours ou de tacher la partie que l'on souhaite réserver.

Réserves au ruban adhésif
Le ruban adhésif est surtout employé pour réserver des bordures, des bandes et des lignes droites. Son utilisation ne pose aucune difficulté, à condition de s'assurer qu'il est bien ajusté et adhère parfaitement à la surface de l'objet de manière à éviter toute infiltration de peinture.

Les superpositions de peinture

En règle générale, surtout lorsqu'il s'agit de motifs simples, la peinture est limitée à un espace déterminé. Mais dans certains cas, il peut être intéressant de superposer deux peintures pour obtenir des effets particuliers.

Sur peinture fraîche

On applique une couche de peinture de couleur différente, sans attendre que la première soit sèche. Les deux couleurs se mélangent, totalement ou partiellement. Ce mélange de couleurs peut accentuer ou atténuer le dessin.

Sur peinture sèche

Lorsque la première couche de peinture est sèche, appliquez la seconde couleur par petites touches là où vous souhaitez foncer ou mettre en valeur une partie du motif. Cette technique permet aussi de corriger des erreurs commises en appliquant la première couleur.

En estompant la peinture

Une seconde couche de peinture est passée sans attendre que la première soit sèche. Elles se mélangeront de façon inégale, ce qui produira un effet particulier. Cette technique est assez difficile à réaliser pour un débutant.

Le sgraffite

Il peut s'avérer nécessaire d'ôter un peu de peinture pour corriger quelques erreurs ou faire apparaître les détails d'un dessin, ou encore parce que le motif l'exige. En observant certaines règles, le sgraffite n'est pas difficile à exécuter. Il s'effectue à l'aide d'un cutter ou d'un stylet.

Sur peinture fraîche

Retirez la peinture avant qu'elle n'ait complètement séché au moyen d'un coton-tige ou d'une baguette en bois. Les petites lignes blanches qui apparaissent resteront blanches ou pourront être recouvertes d'une peinture d'une autre couleur. Même si la peinture fraîche est facile à retirer, il faut veiller à ne pas épaissir les bords du dessin.

Sur peinture sèche

Pour retirer la peinture sèche, il est préférable d'utiliser un cutter, une lame, un stylet ou tout autre objet effilé et tranchant. Cette technique fait apparaître la couleur originale du support et permet de corriger d'éventuelles erreurs.

Sgraffite décoratif

Gratter la peinture permet non seulement de corriger des erreurs, mais aussi de créer des motifs. Quelques incisions ou un trait droit peuvent engendrer un dessin original et attrayant. Il est parfois plus facile de créer un dessin en grattant le fond peint que de peindre le motif lui-même.

Cache-pot fleuri

Ce motif floral comportant cinq couleurs, reproduit plusieurs fois, égaiera un cache-pot. Le choix de couleurs très vives n'est pas une obligation. Il dépend toujours du motif et de la fonctionnalité de l'objet. Ici, les couleurs donnent à l'objet un aspect très vivant.

Voici le motif proposé pour décorer ce cache-pot.

MATÉRIEL

1. Peintures à l'eau : rouge, bleu, vert, jaune et noir
2. Pinceaux n°s 0 et 4
3. Papier calque
4. Papier carbone
5. Crayon à papier à mine dure
6. Crayon à papier à mine tendre
7. Papier absorbant ou chiffons
8. Récipient pour l'eau
9. Palette, carreau de céramique ou récipient à godets

1 Nettoyez bien votre cache-pot à l'aide d'une éponge, à l'eau et au savon. Le cache-pot s'éclaircit sous l'effet de l'eau. Une fois propre, séchez-le soit avec un papier absorbant, soit à l'aide d'un chiffon ne peluchant pas.

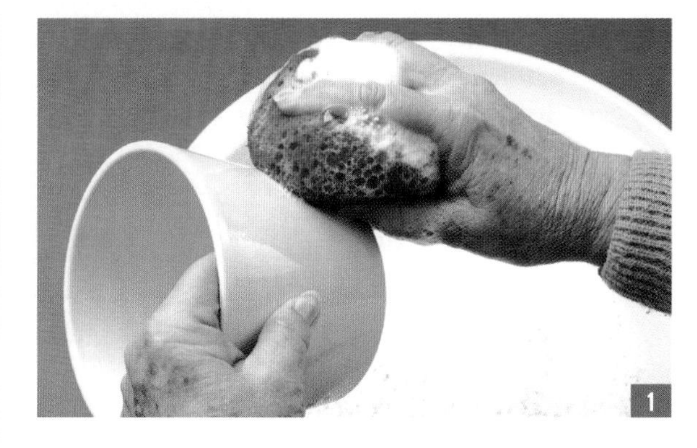

2 Posez votre feuille de papier calque sur le dessin et reproduisez le motif à l'aide de votre crayon à mine dure. Le trait doit être très fin.

3 Posez sur le cache-pot le papier carbone au graphite – l'idéal est de le maintenir avec un peu de ruban adhésif – et posez par-dessus le papier calque que vous fixerez également. Votre dessin doit être bien en place sur la surface du cache-pot. Suivez avec un crayon les contours du dessin.

4 Ôtez le papier carbone et le calque puis, avec votre crayon à mine tendre, repassez sur les traits du dessin pour qu'il soit net et précis.

Le dessin reproduit en peinture sur céramique doit toujours être précis car il est à la fois la base et le guide des différentes étapes de la décoration. La qualité finale du travail en dépend.

5 Avant de peindre, assurez-vous que la peinture est suffisamment fluide et qu'elle convient à l'objet à décorer.

À chaque passage de peinture, ne chargez pas trop votre pinceau. Vous contrôlerez mieux le tracé et éviterez les bavures et autres erreurs.

6 Commencez par le rouge. Pour cela, versez une petite quantité de cette couleur sur un carreau de céramique qui fera office de palette.

7 Utilisez le pinceau n° 4, chargez-le légèrement de peinture rouge et peignez les fleurs qui apparaissent en rouge sur le motif.

Après chaque passage de couleur,
lavez bien votre pinceau.
Ce nettoyage permet de conserver
le pinceau en bon état
et de l'utiliser pour étendre
d'autres couleurs
sans altérer votre dessin.

8

8 Pour peindre les tulipes, procédez avec le bleu de la même manière qu'avec le rouge. Ce motif de petites dimensions ne demandera qu'une faible quantité de peinture.

9

9 Procédez de la même manière avec la peinture verte pour mettre en couleur feuilles et tiges. Faites attention que les tiges restent proportionnées au reste du dessin.

10 Peignez les papillons en jaune. Une fois que le rouge est sec, vous pouvez peindre également le cœur des fleurs rouges.

10

11 Utilisez le pinceau n° 0 pour le corps et les antennes des papillons. Vous constaterez que l'exécution des détails exige beaucoup d'attention.

11

Les coups de pinceau doivent être légers
et réguliers afin de bien répartir la peinture
et d'éviter les accumulations
et les rebords épais, erreurs
qui nuisent considérablement
à l'aspect du travail.

Une fois le cache-pot terminé, laissez sécher la peinture pendant au moins quatre heures. Vous pourrez ensuite le déplacer sans risquer d'abîmer la décoration.

LA PEINTURE À FROID SUR BISCUIT

Pour créer une décoration avec de la peinture à froid, il n'est pas nécessaire que la céramique soit émaillée, vitrifiée ou vernie. Sur une pièce en biscuit, c'est-à-dire sans support verni et destinée à recevoir une seconde cuisson, des décorations attrayantes peuvent être réalisées, qu'il s'agisse de textures lisses ou rugueuses.

Le choix du motif

Comme toujours, le facteur déterminant dans le choix du motif dépend de la forme de l'objet à décorer, de sa fonction et de l'environnement auquel il est destiné. Ce choix déterminera quel type de peinture vous devrez utiliser.

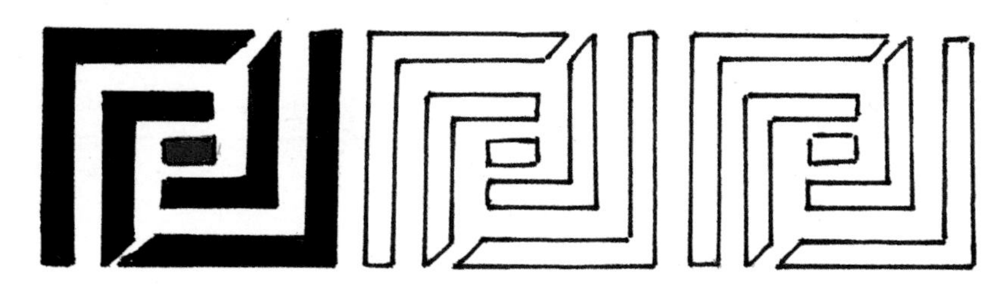

Les motifs géométriques
Lignes, cercles et autres figures géométriques permettent de créer une décoration moderne. La combinaison des traits peut s'enrichir de couleurs sélectionnées avec soin, qui feront plus ou moins ressortir le motif.

Les paysages
Tous les paysages, même les plus simples, sont parfaitement appropriés à la peinture sur céramique. Ainsi un arbre, la crête d'une vague, une chaîne de montagnes se prêtent-ils parfaitement à ce style de peinture.

Les fleurs
Les fleurs sont des motifs très appréciés en décoration sur céramique. Ce choix garantit presque toujours le succès. Leur grande variété de formes et de couleurs ouvre un vaste éventail de possibilités.

Les rayures

Un motif constitué de lignes simples permet de créer des décorations aérées. Continues ou brisées, croisées ou parallèles, les lignes offrent toujours un résultat clair et sobre. Avec peu d'éléments, vous parviendrez à donner une sensation de légèreté et à rendre très attrayants les objets ainsi décorés.

Les lignes horizontales

Les lignes horizontales semblent agrandir l'objet à peindre. Vous devrez dans certains cas recourir à cette astuce, surtout si vous souhaitez obtenir un effet d'optique, c'est-à-dire faire paraître l'objet plus grand qu'il ne l'est en réalité.

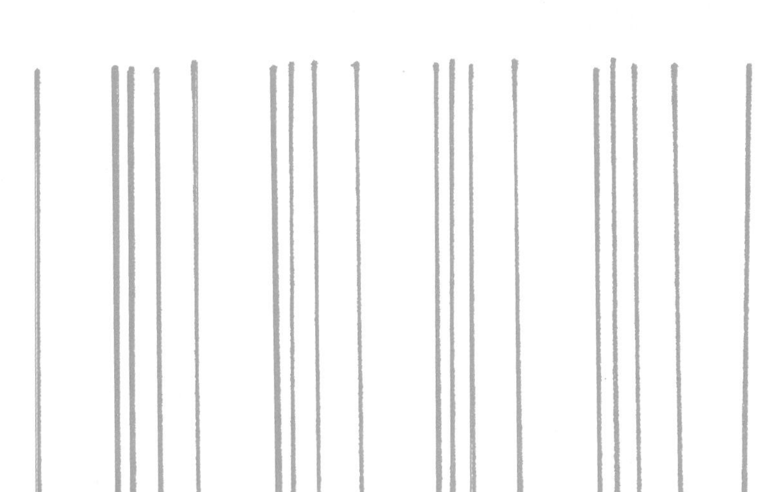

Les lignes verticales

Elles affinent l'objet. Ce type de composition permet de modifier visuellement les proportions de votre céramique.

Les lignes obliques

Quel que soit leur sens, les diagonales embellissent un objet mais ne produisent aucun effet d'optique. Elles n'influent pas sur sa taille ni sur ses proportions. Les diagonales peuvent être croisées pour former des losanges ou des carrés. Toutefois, de simples lignes obliques ont toujours une grande élégance.

La texture

En peinture sur céramique, la texture revêt une grande importance. Certains motifs nécessitent une texture particulière et toute texture inadaptée enlèverait à l'objet une grande part de son esthétique. Ainsi, une texture rustique ou rugueuse, plus indiquée pour des objets décoratifs, ne conviendrait pas à des objets d'usage quotidien comme une tasse ou une cafetière.

L'aspect rustique
Ce fini rugueux donne une apparence de rusticité idéale pour certaines décorations. Selon l'usage auquel il est destiné, un vase, un cache-pot ou un centre de table trouvera dans une texture irrégulière le rendu qui lui convient le mieux.

La peinture à l'éponge
Cette technique permet d'obtenir des textures plus ou moins couvrantes. Le rendu sera différent selon que l'éponge est naturelle ou synthétique. C'est le dessin ou le motif choisi qui déterminera la texture la plus appropriée.

Le fond uniforme
Un objet peut être entièrement peint dans une même couleur. Cette technique est recommandée si vous désirez obtenir une couleur spécifique pour un objet destiné à rejoindre un ensemble de pièces décoratives.

La couleur

Dans tout dessin, la couleur est un facteur déterminant. En général, une couleur se détache des autres et sert de base à la composition. Dans un dessin très coloré, une couleur domine, soit parce qu'elle est plus intense ou plus vive, soit parce qu'elle se répète dans le motif.

Dessin monochrome
On dit d'un dessin d'une seule couleur qu'il est monochrome. Si vous utilisez une couleur unique en jouant sur les intensités, vous obtiendrez des effets d'ombre et de lumière. Malgré la simplicité de cette décoration, le résultat obtenu est très agréable.

Couleurs contrastées
Si vous recherchez des couleurs qui accrochent visuellement, utilisez celles dont le ton et l'intensité contrastent entre eux. Vous pouvez aussi choisir des couleurs opposées ou, au contraire, des couleurs identiques mais d'intensité différente. Vous obtiendrez ainsi des décorations d'un grand effet visuel.

Gammes chromatiques
Des couleurs se suivant dans le spectre lumineux forment une gamme. Toute gamme d'un ensemble déterminé de couleurs créera un dessin chromatiquement harmonieux. Si vous employez des couleurs appartenant à la même gamme chromatique, vous avez l'assurance que l'ensemble sera agréable à regarder.

Rond de serviette en biscuit

De simples ronds de serviettes en biscuit, soigneusement décorés et joliment disposés sur une table de fête, allient l'utile à l'agréable.

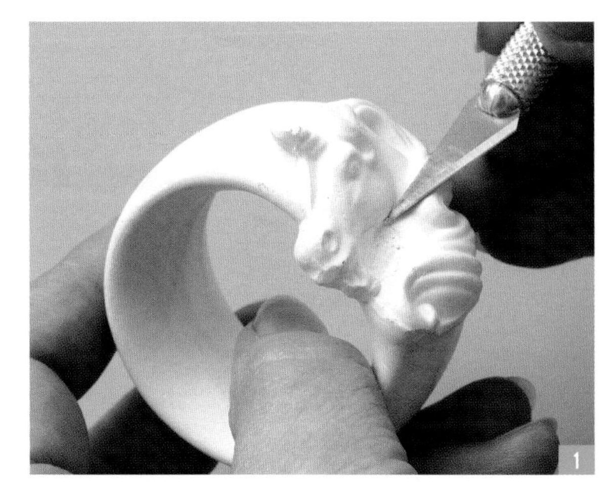
1

1 À l'aide de votre cutter, suivez les contours du motif à peindre (ici, la tête d'un cheval) afin d'en supprimer les défauts. Puis lavez le rond de serviette pour ôter toute poussière ou impureté.

MATÉRIEL

1. Peintures à froid : marron, blanc et noir.
2. Pinceaux n°s 00 et 4
3. Rond de serviette
4. Papier absorbant
5. Récipient pour l'eau
6. Cutter ou stylet
7. Palette

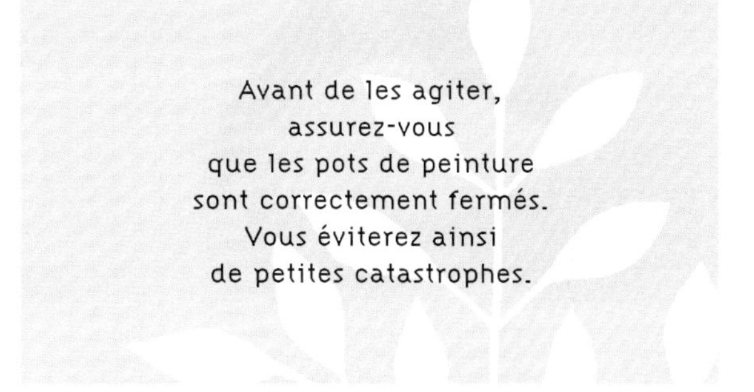

Avant de les agiter, assurez-vous que les pots de peinture sont correctement fermés. Vous éviterez ainsi de petites catastrophes.

2 Pour rendre votre peinture bien homogène, secouez le pot avant de vous en servir.

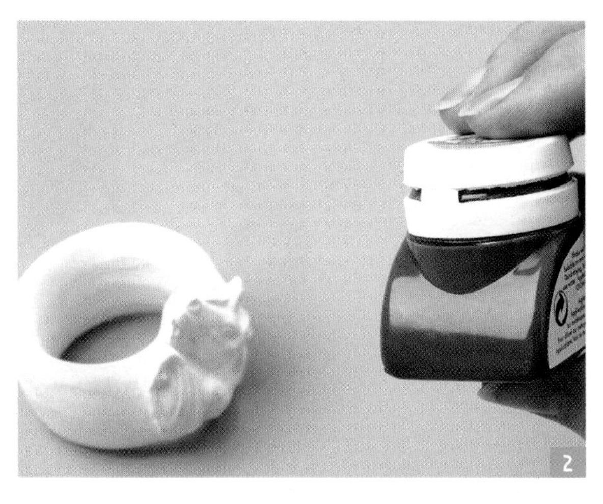
2

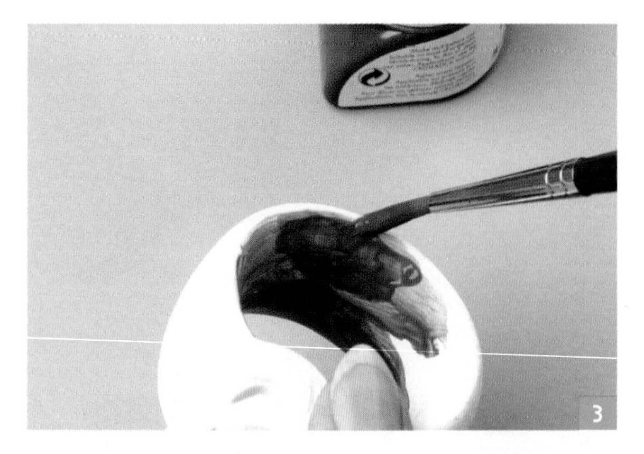

3 Prenez le rond de serviette dans une main en le tenant par la tête du cheval. Chargez de peinture marron votre pinceau n° 4 pour peindre l'intérieur.

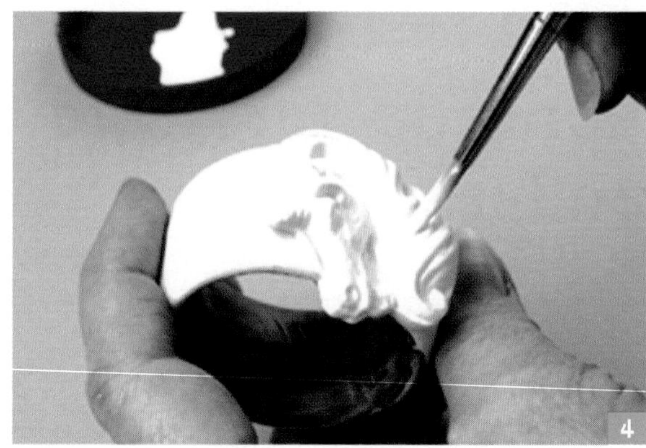

4 Lavez soigneusement votre pinceau à l'eau et au savon. Puis séchez-le afin d'en éliminer toute l'eau. Ensuite chargez-le de peinture blanche et peignez la tête et la crinière.

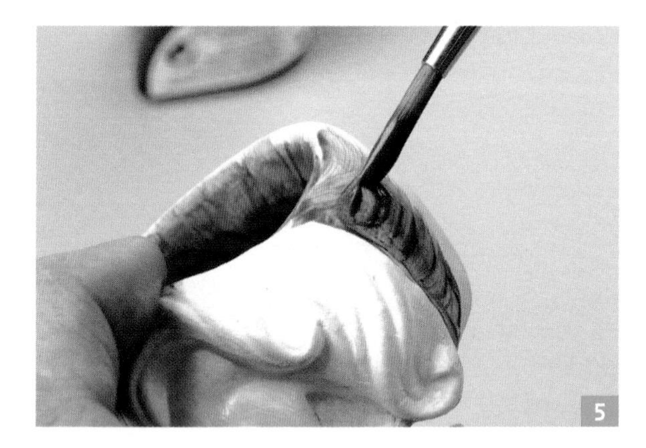

5 Lorsque la peinture blanche est sèche et que vous pouvez saisir le rond de serviette sans risque, passez la peinture marron sur la surface externe du rond de serviette.

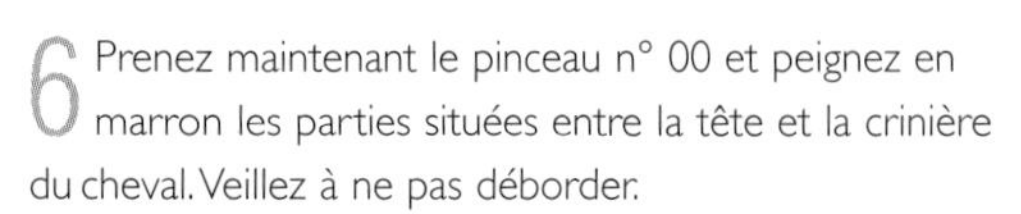

6 Prenez maintenant le pinceau n° 00 et peignez en marron les parties situées entre la tête et la crinière du cheval. Veillez à ne pas déborder.

7 Versez sur votre palette une petite quantité de peinture blanche à laquelle vous ajouterez une goutte de noir pour obtenir un gris perle très doux.

8 Peignez la crinière du cheval en gris perle.

9 Passez une seconde couche de marron à l'intérieur du rond de serviette. Au fur et à mesure que vous peignez, égalisez la couche de peinture pour la rendre uniforme. Laissez sécher.

10 Une fois la peinture sèche, répétez l'opération sur la surface externe du rond de serviette.

Bien que la crinière soit peinte en gris, il est préférable que la sous-couche soit de couleur blanche pour obtenir un meilleur contraste.

11 Utilisez de nouveau le pinceau n° 00 pour peindre en noir l'œil du cheval. Sur la partie supérieure de l'œil, tracez une ligne noire qui représentera les sourcils. À l'intérieur du globe oculaire, un petit rond noir figurera la pupille.

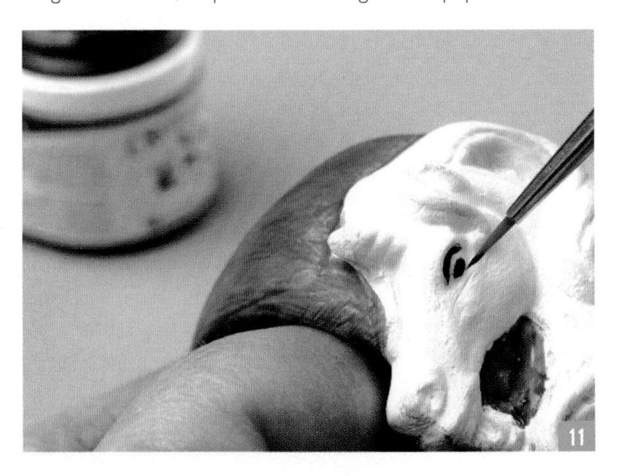

12 Si vous le désirez, vous pouvez adoucir la ligne des sourcils en passant une légère touche de peinture blanche sur le noir avant qu'il ne soit sec.

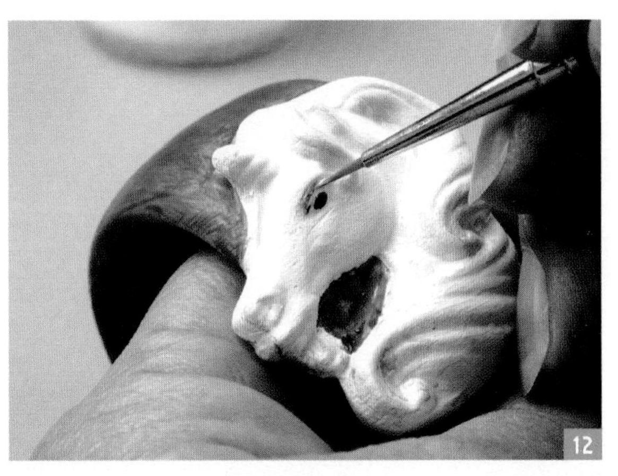

Voici le rond de serviette terminé. Nous avons un objet à la fois décoratif et utilitaire.

THÈME 4

LES PEINTURES SPÉCIALES SUR BISCUIT

Des peintures spéciales peuvent être utilisées sur des pièces en biscuit, c'est-à-dire sur des céramiques cuites non émaillées. Solubles dans l'eau, ces peintures s'appliquent au pinceau. En séchant, elles durcissent suffisamment pour bien adhérer au support. Leur texture est généralement assez rugueuse, permettant d'obtenir, si on le souhaite, un grain qui imite la pierre.

Le choix du motif

Le motif peut être varié et dépend toujours de la forme de l'objet à décorer. Les dessins aux lignes droites ou courbes, peu prononcées et sans trop de détails, sont les plus appropriés et offrent les meilleurs résultats.

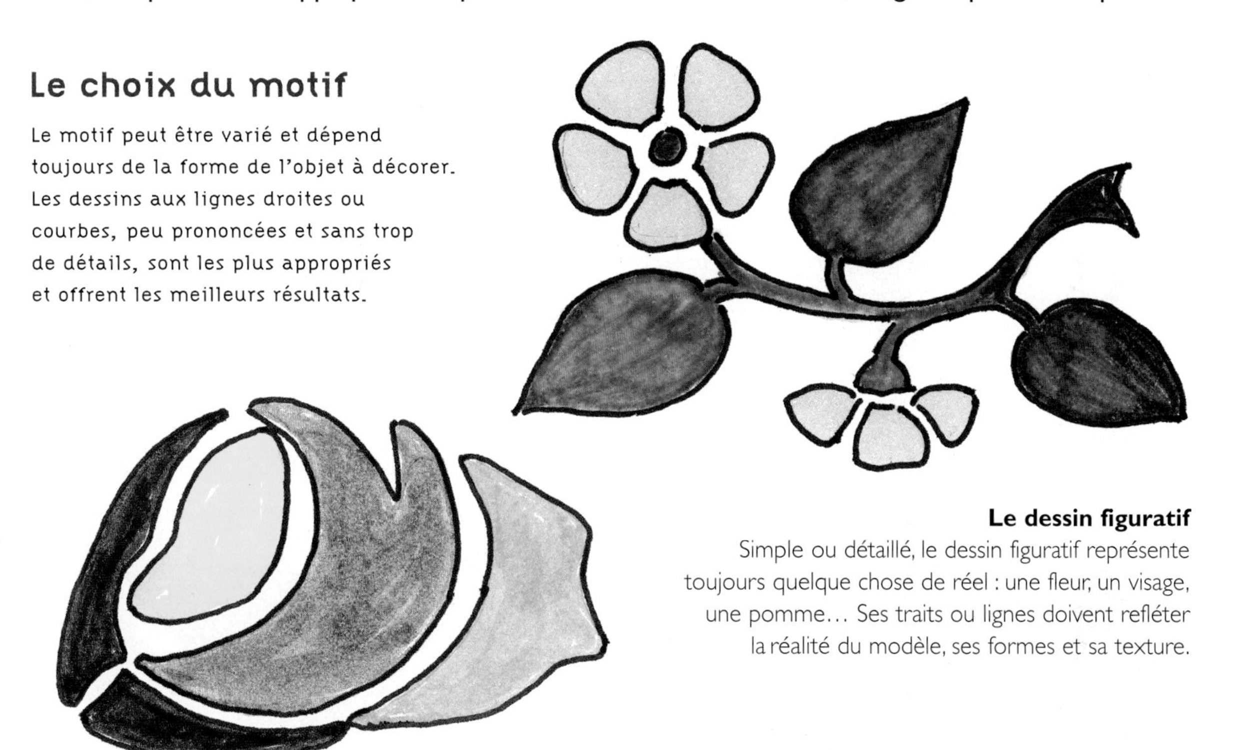

Le dessin figuratif
Simple ou détaillé, le dessin figuratif représente toujours quelque chose de réel : une fleur, un visage, une pomme… Ses traits ou lignes doivent refléter la réalité du modèle, ses formes et sa texture.

Le dessin abstrait
Dans l'exemple ci-dessus, le dessin ne représente rien de concret. Il est constitué de lignes, de cercles et de plans juxtaposés. La combinaison des couleurs et des formes crée des motifs très esthétiques.

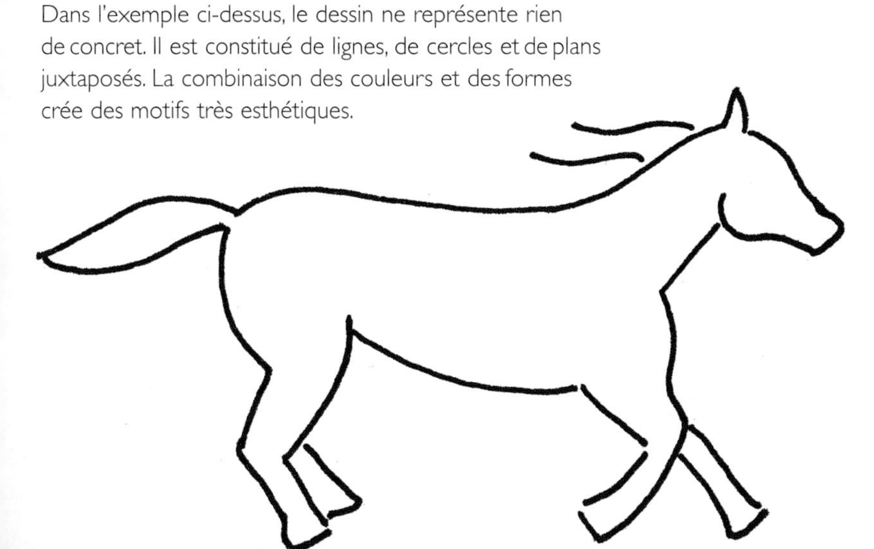

La silhouette
Tout sujet, personnage ou animal, peut être dessiné schématiquement par quelques traits évoquant ses contours, et reproduisant sa silhouette. Un objet aux formes complexes se prête moins aisément à ce style de dessin. C'est pourquoi, avant de vous engager dans sa réalisation, il vous faut bien réfléchir au sujet que vous allez peindre sur votre céramique.

Le fini

Selon la peinture utilisée, le fini, et par conséquent l'apparence de votre objet, seront différents. Vous pourrez aussi bien obtenir un fini lisse et très couvrant qu'un fini rugueux à l'œil et au toucher. Le fini dépend aussi de la manière de peindre et du pinceau utilisé.

Un fini rugueux

Certaines peintures permettent d'obtenir un fini rugueux, dont l'aspect rustique imite la pierre. On utilisera un pinceau aux poils soyeux afin d'éviter de laisser des traces.

Un fini lisse

Une peinture acrylique permet de réaliser un fini lisse et couvrant. Veillez à utiliser un pinceau large sur lequel vous exercerez une pression égale et constante pour dissimuler au mieux les marques du pinceau. C'est avec la pratique que vous obtiendrez le résultat attendu de cette technique assez difficile.

Un fini partiel

Selon le motif choisi, il se peut que certaines parties n'aient pas à être peintes. La texture de la céramique y sera donc apparente, ce qui pourra créer des effets particuliers. Cependant, lorsqu'il s'agit d'une pièce en biscuit, c'est l'ensemble de l'objet qui est généralement peint.

La coloration

Selon les couleurs utilisées, un dessin peut prendre une apparence différente. Son esthétique en dépend largement. Il convient donc d'étudier avec attention les couleurs qui seront appliquées car, mal employées, elles pourraient gâcher votre travail.

Les couleurs vives
Peint dans des couleurs vives, avec des couleurs primaires qui ne seront pas atténuées par des nuances de gris, un dessin sera très pimpant. Les tons intenses créent toujours des décorations gaies, mettant en valeur les formes du dessin.

Les couleurs uniformes
Si vous réalisez un dessin linéaire, d'une seule couleur et sans ombres ni zones claires pour donner du volume, vous obtiendrez un motif simple. Il ne faudra pas l'interpréter comme un manque de moyens mais comme un choix imposé par le motif. Le dessin linéaire permet de représenter une grande variété d'éléments et de formes tels des êtres humains, des animaux ou tout autre motif issu de votre inspiration.

Les nuances de gris
Les nuances de gris permettent de réaliser de très beaux dessins. Le gris apporte aussi, dans la coloration d'un dessin, un meilleur contraste. Il s'agit d'une couleur neutre qui, lorsqu'on sait bien s'en servir, fait surgir des contrastes surprenants.

L'application de la peinture

La manière dont est appliquée la peinture est un facteur déterminant en décoration et le résultat dépend souvent du pinceau utilisé. Celui-ci permet d'obtenir un fini précis aussi bien qu'une texture lisse ou irrégulière.

Le pinceau soyeux

Un pinceau au poil soyeux – il n'est pas nécessaire qu'il soit en poil de martre – permet de couvrir régulièrement une surface sans laisser de traces visibles. Pour obtenir cet aspect uniforme, il faut exercer une pression égale et constante sur votre pinceau afin que la quantité de peinture soit toujours la même.

Le pochoir

Pour peindre avec un pochoir, l'idéal est d'utiliser un pinceau à poils durs, courts et de même longueur. La peinture au pochoir se pratique à l'aide d'un gabarit dans lequel est découpé un motif. Il suffit de poser ce gabarit sur l'objet à décorer et d'appliquer la peinture à l'intérieur des parties évidées.

Le pinceau dur

Le pinceau dur laisse souvent des traces lors de l'application de la peinture. Dans certains cas, le sujet choisi requiert ce type de pinceau car les traces ainsi créées permettent de mettre en valeur certains points ou détails du dessin.

THÈME 4 PAS À PAS

Vase imitation pierre

Sur un vase en biscuit, c'est-à-dire une céramique cuite mais non émaillée, vous appliquerez une peinture spéciale qui lui donnera l'apparence de la pierre.
Vous emploierez pour cela plusieurs peintures sur la surface du vase.
C'est un travail simple, au résultat sobre et élégant.

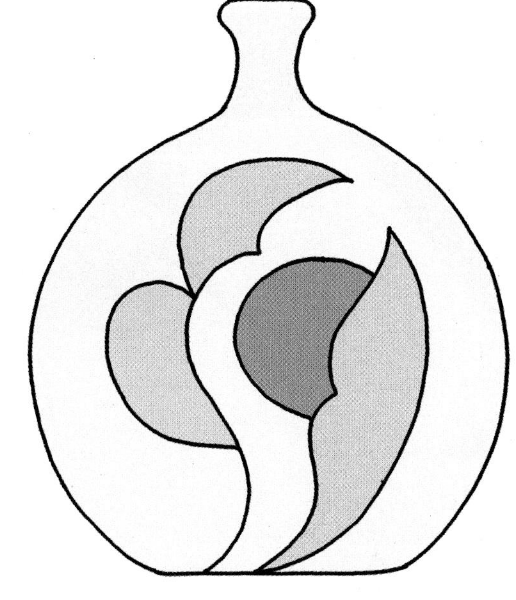

Voici le motif adopté pour décorer le vase

1 La peinture que vous allez utiliser est très couvrante, aussi n'est-il pas utile de poncer le vase, sauf si certaines parties présentent des rugosités visibles.

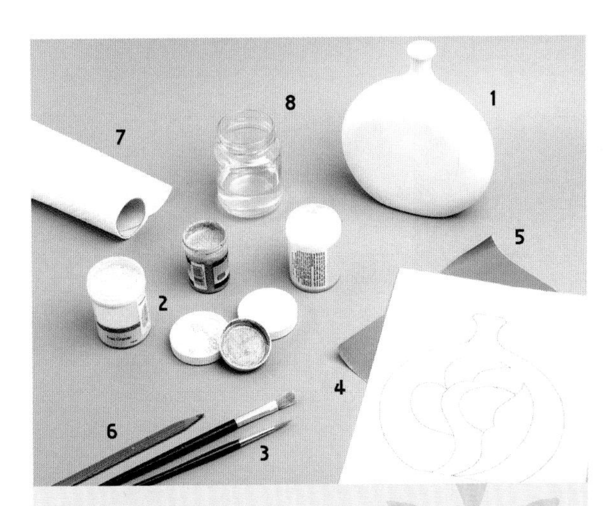

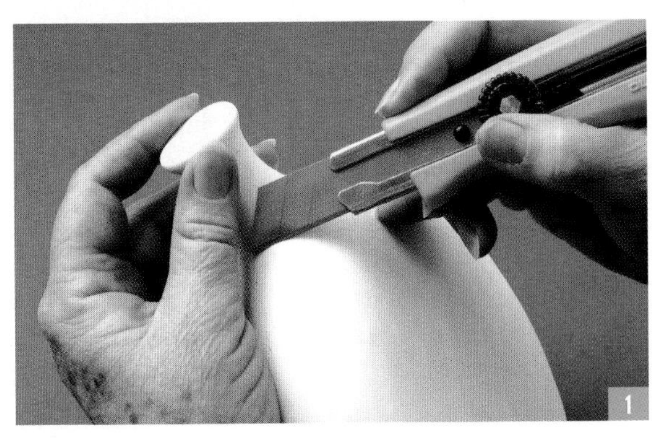

MATÉRIEL

1. Vase
2. Peintures à texture de pierre : blanc, gris granit et lilas
3. Pinceaux à poils synthétiques n° 12 plat et n° 6 rond
4. Papier calque
5. Papier carbone
6. Crayon à papier à mine dure
7. Papier absorbant ou chiffon
8. Récipient pour l'eau

2 Prenez votre pinceau plat n° 12 et passez une couche de peinture blanche sur la partie qui recevra le dessin.

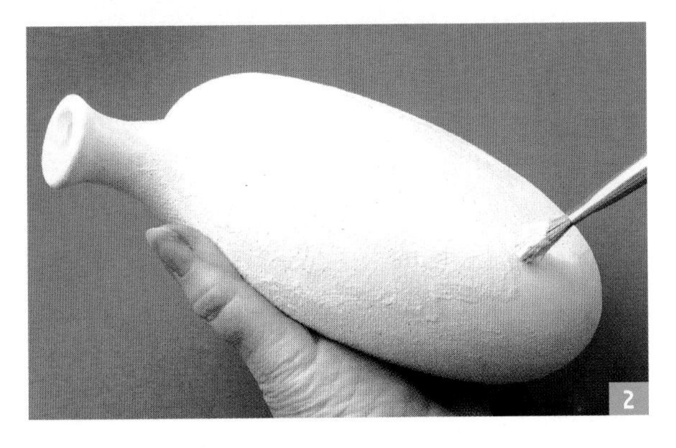

3 Décalquez le dessin en effectuant un tracé léger et continu.

4 Placez le papier carbone sous le papier calque et reproduisez le dessin sur le vase.

Pour faciliter la reproduction du modèle, il est préférable que votre papier calque et votre papier carbone soient de la même dimension. Vous pourrez ainsi les positionner plus aisément pour transférer le dessin sur le vase.

5 À l'aide d'un bâtonnet, mélangez bien la peinture jusqu'à obtention d'une texture homogène et fluide.

Lorsque vous reproduisez le dessin sur le vase, veillez à ce que le tracé au crayon ne soit pas trop voyant. La peinture pourrait ne pas les couvrir complètement.

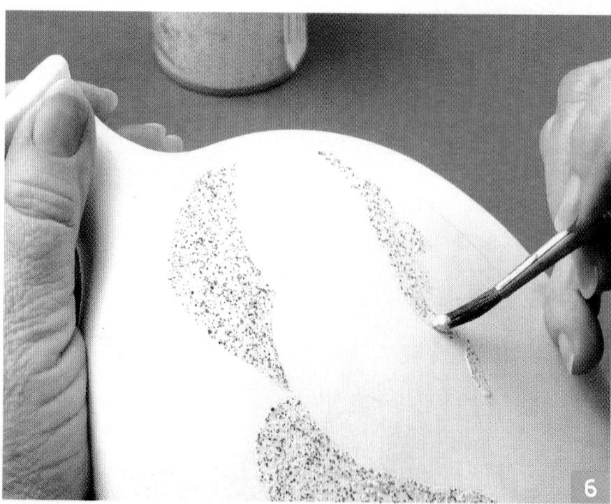

6 Chargez de peinture grise votre pinceau n° 6 et peignez les feuilles situées à gauche.

La peinture doit être soigneusement préparée avant son application. En effet, elle contient de la colle, qui a tendance à se déposer au fond du récipient. On la mélangera donc bien avant l'emploi.

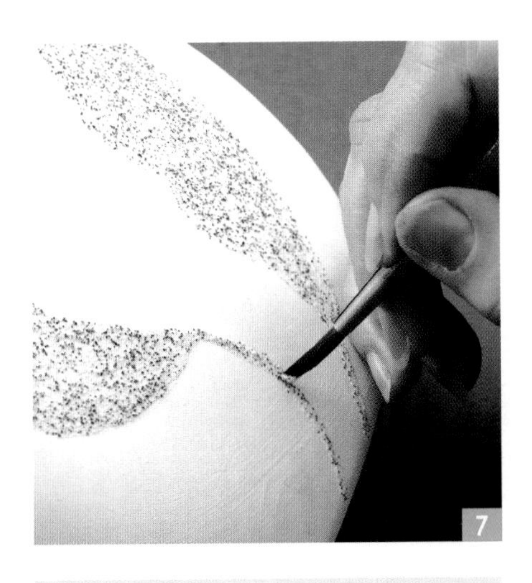
7

7 Pour peindre la tige de la feuille, chargez légèrement votre pinceau et laissez-le glisser sur la ligne dessinée en prenant garde de respecter les proportions.

8

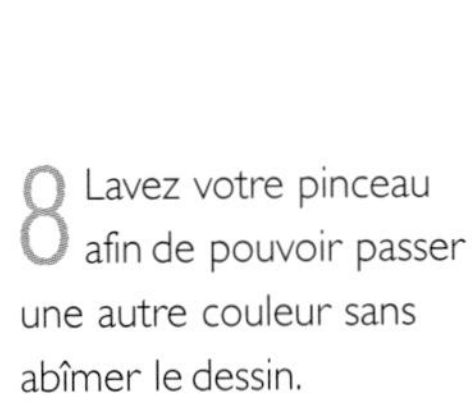

8 Lavez votre pinceau afin de pouvoir passer une autre couleur sans abîmer le dessin.

Vous commencerez toujours par peindre la partie du motif qui est la plus éloignée de la main tenant le pinceau.
Ainsi vous éviterez d'endommager les parties dont la peinture n'est pas encore totalement sèche.

9

9 Peignez les fleurs couleur lilas avec le pinceau n° 6.

10 Après avoir rincé le pinceau, peignez en gris la dernière feuille.

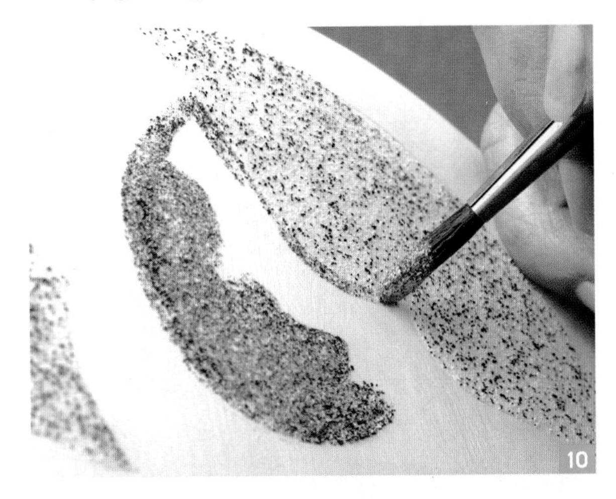
10

11 En peignant les fleurs, veillez à ce que chaque élément soit bien délimité.

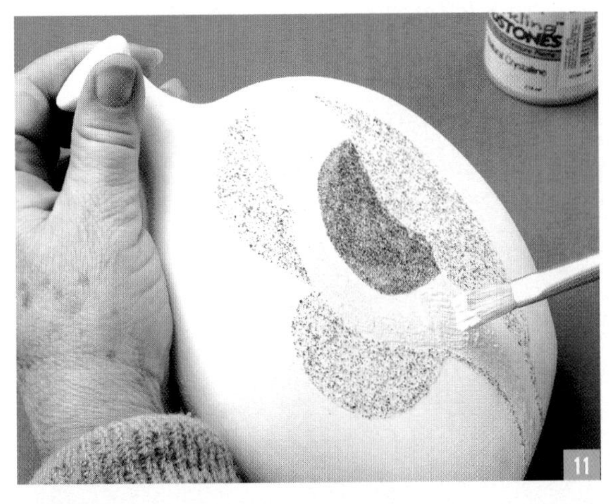
11

Voici votre travail terminé, un vase sobre et élégant.

THÈME 5

LA CUISSON À BASSE TEMPÉRATURE

Les peintures utilisées pour la décoration à froid sont plus résistantes si elles sont cuites à basse température, à environ 150 °C durant trente minutes. Vous pourrez ensuite passer les objets peints au lave-vaisselle. Il faut un peu de pratique pour utiliser ce type de peinture, qui donne de bien meilleurs résultats lorsqu'elle est appliquée en deux couches fines plutôt qu'en une couche épaisse. La principale difficulté consiste à éviter de laisser des traces de pinceau trop visibles.

Les pinceaux

La qualité du pinceau est un facteur déterminant pour la réussite de votre travail. De bons résultats s'obtiennent avec des pinceaux de bonne qualité. Pour la peinture à froid, vous choisirez des pinceaux en fibres synthétiques qui durent plus longtemps.

Les pinceaux ronds

Les pinceaux ronds permettent de réaliser presque tous les motifs, car ils vont du plus fin, le n° 00, au plus gros, le n° 24. Ils sont très utilisés en peinture sur céramique à froid car leur forme favorise l'étalement de la peinture.

La touche en forme de virgule

Ce motif s'exécute en tenant le pinceau perpendiculairement à la surface, tout en exerçant une pression sur les fibres pour les écarter. Relâchez ensuite la pression, et ôtez votre pinceau.

La touche courbe

La technique ressemble à celle de la virgule, avec cette différence qu'après avoir exercé une pression sur les poils, on dessinera une légère courbe avec la main pour donner au trait de pinceau la forme d'une demi-lune.

Les pinceaux plats

Les poils du pinceau plat ont tous la même longueur. Ils permettent de réaliser de nombreux motifs. Leur qualité varie en fonction de leur matière.

La touche courbe

Le pinceau plat s'utilise comme un pinceau rond mais, cette fois, le trait de pinceau sera droit.

Le motif en forme de S

Le pinceau est tenu perpendiculairement à la surface mais on utilise sa partie étroite. On dessine ensuite une courbe et les fibres du pinceau s'écartent. On termine en le plaçant de nouveau à la verticale et en utilisant la partie la plus fine.

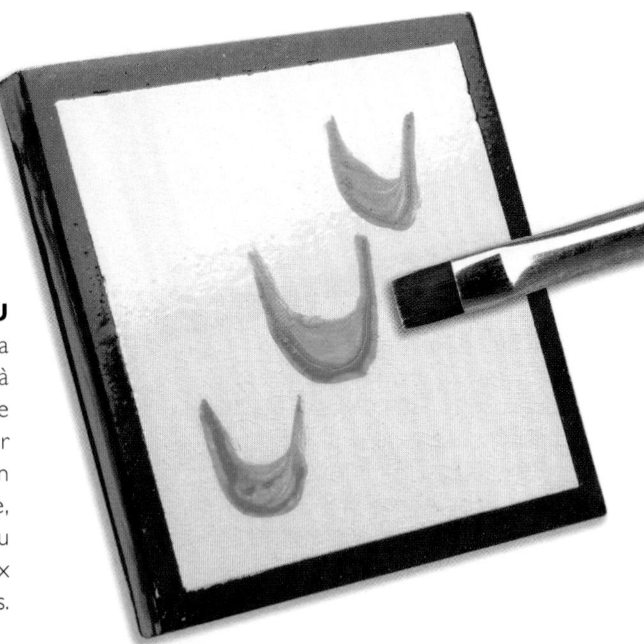

Le motif en forme de U

La technique employée est la même que précédemment, à la différence près que, lorsque vous exercez une pression sur le pinceau plat, une courbe en forme de U se dessine, présentant une partie large au centre et une partie fine aux extrémités.

En vous exerçant au préalable, vous acquerrez de l'assurance dans la réalisation des motifs que permettent d'obtenir ces différents pinceaux.

Le pinceau en forme d'éventail

Ses fibres forment presque un demi-cercle. C'est un outil très utile pour réaliser des motifs spéciaux, couvrir des fonds au tampon ou peindre des motifs décalqués.

Pour peindre les contours

Tenez votre pinceau à plat et peignez les contours de l'objet. Vous obtenez ainsi un effet estompé. Vous pouvez aussi espacer les coups de pinceau autour d'un contour pour le rehausser.

Pour réaliser des cercles

En faisant tourner le pinceau sur lui-même, vous pouvez créer des cercles. Si vous appuyez légèrement, les poils s'écartent et dessinent des cercles concentriques.

Autres applications

Le pinceau en éventail est idéal pour dessiner les écailles d'un poisson, des touffes d'herbe ou pour reproduire la forme d'un coquillage.

Le pinceau en biseau

Le pinceau en biseau est un pinceau plat dont les fibres ont été coupées pour former un angle de 45 degrés. Il permet d'exécuter des tracés en diagonale, ce qui s'avère très utile dans certains cas.

Touches régulières

Avec ce pinceau vous pouvez couvrir uniformément une surface. En exerçant une pression constante, vous éviterez l'impression de discontinuité et couvrirez des fonds sans trace de pinceau.

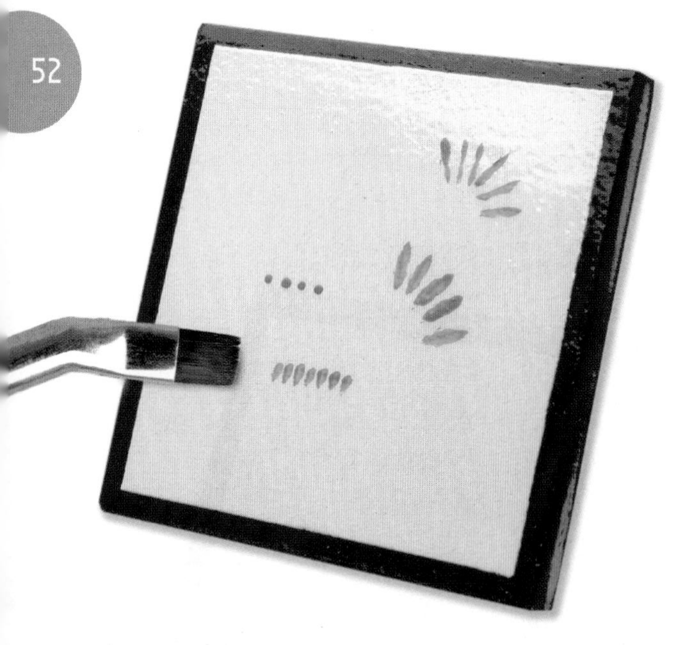

Pointillés

La pointe du pinceau permet de réaliser des pointillés, au moyen de petites touches légères. Cette technique convient aussi pour peindre, par exemple, des pétales de marguerite ou la tige d'une fleur.

Lignes brisées

Appuyez sur le pinceau pour tracer une petite ligne oblique. Puis faites-en une autre dans le sens opposé et ainsi de suite. Avec un peu de pratique, vous maîtriserez les traits de pinceau et saurez les appliquer en fonction de la décoration choisie.

Plat avec bordure

Mettons maintenant en pratique les principes énoncés plus haut. Ce motif fait appel à des techniques variées. Naturellement, on n'oubliera pas la fonction qui sera attribuée à l'objet décoré : centre de table, cendrier, petit récipient à bonbons…

Voici le motif proposé pour décorer la bordure du plat.

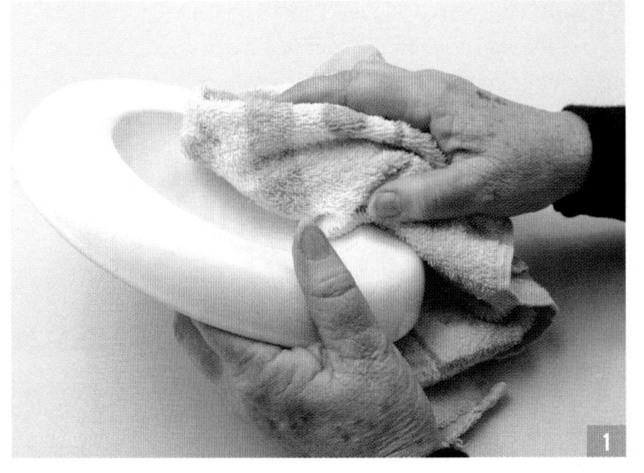

1 Comme toujours, vous commencerez par bien laver l'objet en céramique avec de l'eau et du savon, ou avec un détergent, pour éliminer toute trace de graisse et toute impureté. Rincez-le bien, essuyez-le et laissez sécher.

2 Pour vous aider à réaliser les étapes qui suivent, tracez à l'aide du crayon à papier à mine tendre une ligne délimitant le bord intérieur de la lisière du plat.

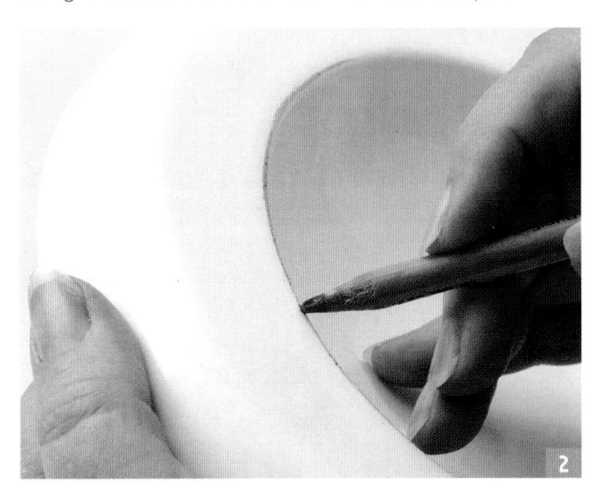

MATÉRIEL

1. Peintures : rouge, jaune, bleu et blanc
2. Pinceaux ronds n°s 2, 4 et 8
3. Papier absorbant ou chiffon
4. Récipient pour l'eau
5. Cutter ou stylet
6. Ciseaux
7. Crayon à papier à mine tendre
8. Ruban adhésif

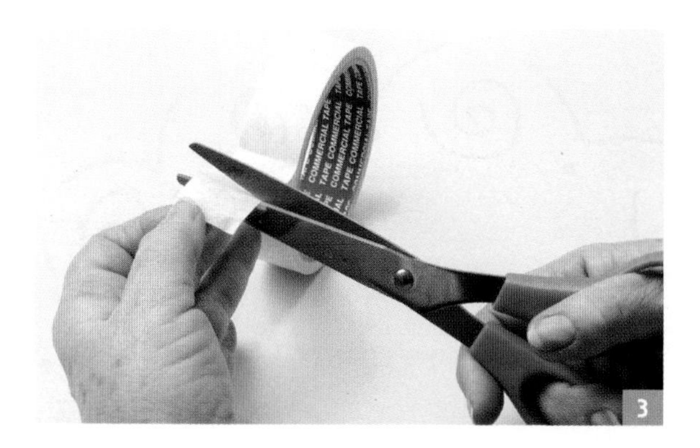

3 Vous allez réserver plusieurs zones de la partie à décorer avec le ruban adhésif. Coupez huit petits carrés de deux centimètres de côté. Il n'est pas nécessaire qu'ils soient tous parfaitement égaux, vous pouvez donc les couper directement avec les ciseaux sans les mesurer avec précision.

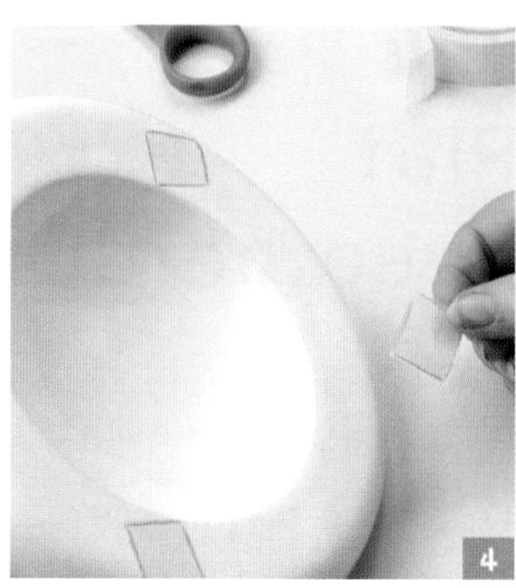

4 Pour une meilleure répartition des huit carrés, commencez par en placer quatre sur la partie plate supérieure de la bordure.

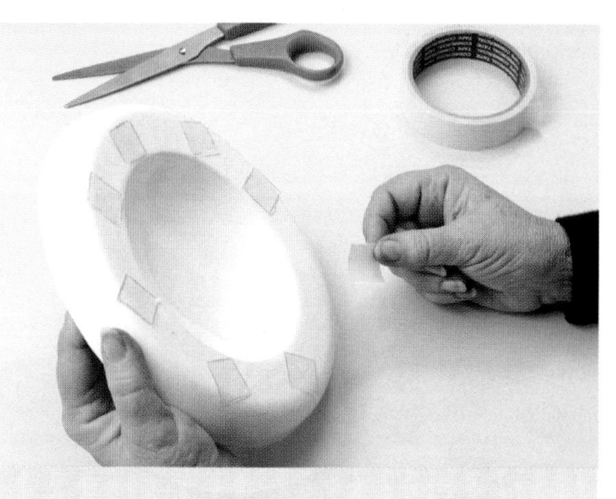

5 Après avoir vérifié qu'ils sont bien fermés, secouez énergiquement chacun des pots afin que leur contenu soit bien homogène.

6 Versez, sur un carreau qui vous servira de palette, une petite quantité de peinture rouge et de peinture jaune. Mélangez-les à l'aide d'une spatule pour obtenir la teinte orange du motif à reproduire.

Comment positionner les carrés sur le plat

1. Placez le premier carré sur un point quelconque du plat de façon que l'une de ses extrémités touche la limite intérieure de la bordure décorative.

2. Ce carré se positionne sur le plat comme s'il s'agissait d'un losange.

3. Disposez un deuxième carré en face du premier en procédant de la même façon.

4. Sur l'arrondi du plat, à mi-distance des deux carrés que vous venez de placer, positionnez le troisième.

5. Pour le quatrième, procédez comme énoncé au troisième alinéa. Les quatre premiers carrés ont été disposés en forme de croix et de façon régulière.

6. Entre les carrés, à mi-distance, vous pouvez positionner les quatre autres. Ainsi les petites réserves que vous avez préparées pour la décoration de la bordure seront bien placées tout autour du cercle.

7

8

7 Sur le même carreau, à côté de la teinte orange que vous venez d'obtenir, mettez un peu de peinture jaune.

8 Chargez votre pinceau n° 8 légèrement humidifié de peinture orange puis de peinture jaune. Par touches irrégulières, peignez toute la partie réservée à la bordure, afin de dessiner un fond. En appliquant de manière indistincte les peintures orange et jaune, vous obtenez une représentation abstraite.

Il vous faut retirer les petits carrés de réserve avec grande précaution. Leurs bords doivent impérativement rester bien délimités. Veillez à ne pas abîmer la peinture en retirant le ruban adhésif.

9 Une fois la peinture sèche, retirez, en utilisant la pointe du cutter, les petits morceaux de ruban adhésif.

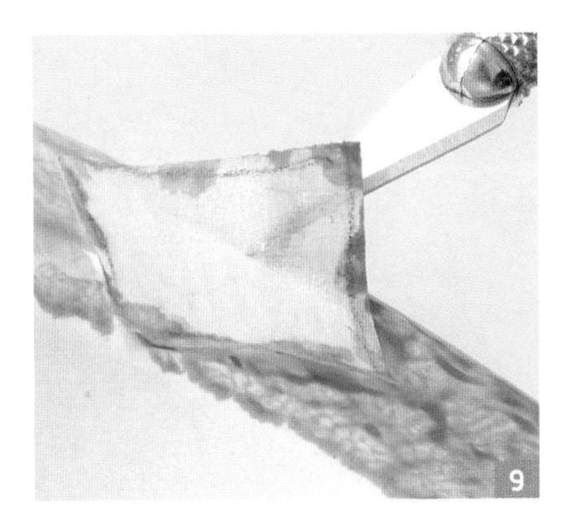

9

La couleur bleue s'intègre avec douceur au décor jaune et orange. Choisissez un bleu qui ne soit pas trop intense afin de conserver à l'ensemble son équilibre. Si nécessaire, vous pouvez atténuer votre bleu en lui ajoutant un peu de blanc.

10 Utilisez le pinceau n° 4 pour peindre en bleu les carrés laissés vierges par les réserves de ruban adhésif. Puis, laissez sécher la peinture.

11 Lorsque la couleur bleue est sèche, tracez, avec le pinceau n° 2 chargé de peinture orange, les lignes en spirales, ainsi que les autres tracés figurant sur le schéma. Avec le pinceau en biseau, il vous sera facile de réaliser les points orange.

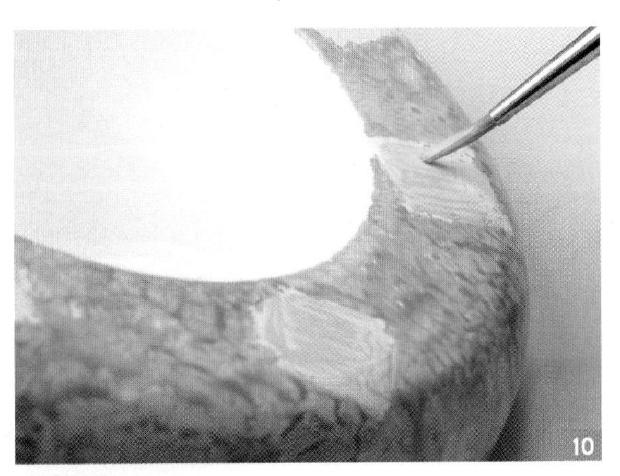

10

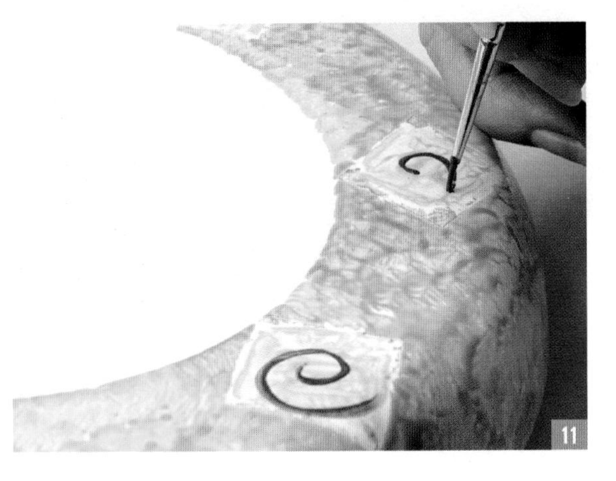

11

L'objet terminé rehausse
gaiement votre table,
avec ses motifs vivants
et ses couleurs pétillantes.

THÈME 6

LA TECHNIQUE DU POCHOIR

La technique du pochoir, simple et rapide, convient parfaitement à la peinture sur céramique. Elle consiste à appliquer la peinture à travers un gabarit (ou pochoir) dans lequel a été découpé le motif décoratif choisi. Cette méthode est surtout utilisée pour décorer des surfaces planes, mais aussi pour peindre des surfaces arrondies. Elle donne des résultats très satisfaisants. Avec un peu d'expérience, il est possible de combiner et superposer des couleurs afin d'obtenir des ombres et des reliefs.

Les pochoirs

Le pochoir est un matériau plat dans lequel un motif a été découpé. On le pose sur la surface à peindre et l'on peint par-dessus. La partie évidée laisse ainsi passer la peinture aux endroits voulus. Les pochoirs se présentent sous la forme de minces feuilles de carton, de papier aquarelle, d'acétate ou de plastique. Pour reproduire un dessin non disponible dans le commerce, on confectionnera son propre pochoir dans l'un de ces matériaux.

Les pochoirs du commerce

De formes et de tailles variées, ils sont découpés dans une matière plastifiée qui permet de les réutiliser après nettoyage. Ils conviennent surtout pour des motifs répétitifs, tels que des frises ou des grecques.

Fixation du pochoir

Un spray spécial permet de coller le pochoir sur la surface à peindre. Il s'agit d'une colle qui s'applique sur l'envers du pochoir qui, ensuite, adhère à la céramique sans se déplacer lors du passage du pinceau, de l'éponge ou autre matériel. Faute de spray, le ruban adhésif convient également.

N'oubliez pas que certains motifs, trop fins ou trop détaillés, ne se prêtent pas à la technique du pochoir.

Confection d'un pochoir

1. Choisissez le motif.
2. Choisissez le matériau du pochoir (papier, carton, matière plastique, etc.).
3. Ayez à portée de main le motif choisi, qu'il provienne d'un livre, d'une revue ou de votre imagination.
4. Calculez ses dimensions en fonction de l'objet à décorer.
5. Dessinez-le au crayon à papier sur le matériau choisi.
6. Évidez minutieusement le motif au cutter en suivant avec précision son tracé.

La peinture

Pour peindre au pochoir, on utilise des peintures à froid qui, lors de la cuisson à basse température, se fixent solidement sur la céramique. La décoration peut alors affronter les ans.

Préparation de la peinture

1. Agitez le récipient de peinture pour la rendre bien homogène.

2. Versez une petite quantité de peinture sur la palette ou le carreau de céramique.

3. Cette peinture sèche très rapidement, c'est pourquoi vous n'en verserez que de petites quantités sur votre palette, pour ne pas la gaspiller et pour lui conserver sa fluidité.

4. Si vous devez mélanger des couleurs, faites-le sur la palette ou sur le carreau de céramique.

Les couleurs

La peinture au pochoir permet de réaliser des décorations très colorées et agrémentées d'ombres, comme pour la peinture sur tissu. Une bonne expérience est toutefois nécessaire pour parvenir à un résultat satisfaisant. Créer des volumes et des nuances en superposant des couleurs n'est, en effet, pas à la portée du débutant.

Application de la peinture

1. Chargez légèrement en peinture le pinceau ou l'éponge.

2. D'une main, exercez une pression sur le pochoir tandis que, de l'autre, vous appliquez la peinture par petites touches.

3. Il est possible qu'en fonction du motif, certains espaces demeurent blancs pour conférer un aspect plus rustique. Il est préférable dans ce cas d'utiliser une éponge. Plus la texture de celle-ci est grossière, plus grands seront les espaces non peints.

4. Ne chargez pas trop le pinceau ou l'éponge afin que le dessin conserve toute sa netteté.

Le matériel

On peut utiliser des outils très différents pour peindre au pochoir : brosses à pochoir, éponges, papier ou tissu froissés. Le matériel utilisé dépend de vos préférences et des exigences propres au motif.

Les brosses à pochoir
Dans tout magasin vendant des fournitures pour les beaux-arts, vous trouverez ces brosses spécialement conçues pour peindre au pochoir. Elles sont de forme cylindrique et leurs poils sont tous de longueur égale. Cette particularité donne au pinceau la forme d'une brosse plate et ronde, idéale pour répartir la peinture sur une surface plane.

Ne chargez pas trop votre pinceau, éponge ou papier pour éviter que la peinture ne s'infiltre sous les bords du motif et ne dégrade votre dessin.

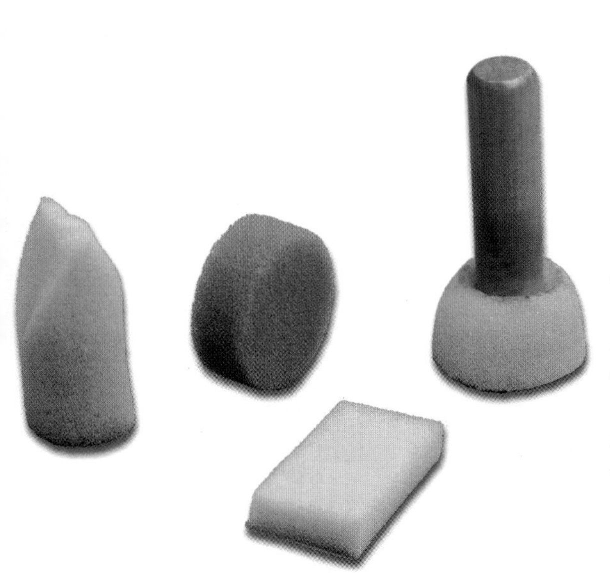

Les éponges
Lorsque la surface à peindre au pochoir est importante, mieux vaut utiliser une éponge. La qualité de celle-ci détermine la texture du motif peint au pochoir. Le type de motif reproduit, ainsi que vos préférences, vous conduiront à choisir telle ou telle éponge si vous désirez obtenir un effet dense, voire compact. Par exemple, le grain de l'éponge devra être assez fin. Une éponge naturelle laisse subsister beaucoup d'espaces blancs. Vous pouvez utiliser différents types d'éponges pour un même motif.

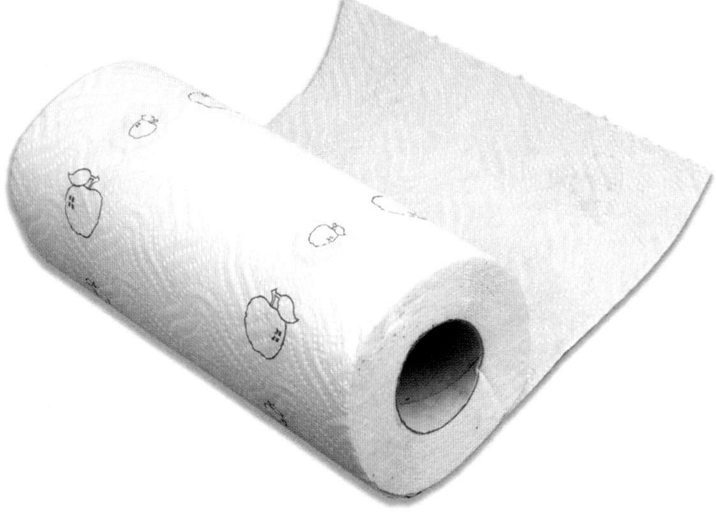

Le papier
Vous pouvez aussi bien utiliser du papier absorbant que des serviettes, torchons, mouchoirs ou autres tissus pour peindre au pochoir. Le papier froissé permet aussi d'appliquer la peinture. Pour cela, chargez-le de peinture et enlevez l'excédent en le frottant légèrement sur du papier absorbant. L'avantage du papier froissé est qu'il se remplace facilement.

Les finitions

Peut-être croyez-vous avoir fini de peindre votre objet. Pourtant, le travail n'est pas encore tout à fait achevé. Il vous faut repérer et corriger les petites erreurs telles que d'éventuelles bavures ou de légers défauts comme une couche trop fine de peinture qu'il faudra épaissir.

Lorsque vous vérifiez la qualité de votre dessin, ne soulevez pas le pochoir d'un seul coup. Faites-le zone par zone, en le maintenant d'une main et en commençant par les extrémités ou les angles. Vous pourrez ainsi repositionner le pochoir exactement à l'endroit souhaité si quelques retouches s'avèrent nécessaires.

Vérifier que le motif est bien reproduit
Après avoir appliqué la peinture, attendez qu'elle soit sèche avant de soulever avec soin le pochoir et vérifiez que le dessin a bien été reproduit. Si tel n'est pas le cas, il est encore temps de le retoucher en appliquant un peu de peinture aux endroits nécessaires.

Retirer le pochoir
Avant de retirer le pochoir, assurez-vous que la peinture est suffisamment sèche et qu'elle présente une certaine consistance. Lorsque vous êtes certain que le dessin est correct, enlevez avec précaution le pochoir en évitant de le faire glisser sur la surface de l'objet pour ne pas abîmer la peinture encore fraîche. Cette opération, simple au demeurant, doit être menée avec doigté.

Rectifier le travail
Il se peut que, malgré votre soin, la peinture se soit infiltrée sous le pochoir. Si ce sont de petites coulures, il suffira, pour les supprimer, de les gratter avec la lame d'un cutter une fois la peinture sèche. Mais il est parfois nécessaire de redessiner tout le contour du motif et, dans ce cas, vous utiliserez un pinceau très fin.

Pochoir sur carreau de céramique

La surface plate d'un carreau de céramique est parfaite pour la peinture au pochoir. De plus, sa forme permet de le disposer en frise le long d'un mur, en bordure de table ou sur un manteau de cheminée. Dans ce chapitre, nous vous proposons de regrouper quatre carreaux de céramique qui pourront servir de dessous-de-plat.

Voici le motif décoratif que nous vous proposons.

Pour nettoyer les carreaux de céramique, ne les plongez pas dans l'eau car la face non émaillée absorberait l'eau et mettrait du temps à sécher.

MATÉRIEL

1. 4 carreaux de céramique
2. Peintures à froid : bleu et vert
3. Petite brosse à pochoir
4. Ruban adhésif
5. Récipient pour l'eau
6. Papier absorbant
7. Cutter

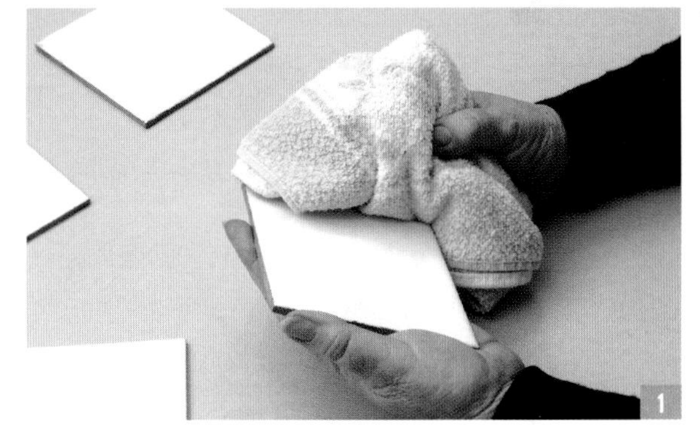

1 Nettoyez les carreaux de céramique avec un torchon humide. Séchez-les soigneusement.

2 Disposez les carreaux de céramique sur une surface plane et maintenez-les ensemble à l'aide du ruban adhésif.

3 Lorsque vous avez déterminé avec précision l'emplacement de votre dessin, mettez en place le pochoir. Une fois celui-ci correctement centré, maintenez-le à l'aide de morceaux de ruban adhésif.

4 Agitez vigoureusement le pot de peinture verte pour la rendre homogène, puis versez-en une petite quantité sur votre palette.

5 Chargez légèrement le pinceau et, si nécessaire, ôtez le surplus de peinture avec un papier absorbant.

Quand vous avez terminé une couleur, rincez votre pinceau soigneusement et séchez-le bien afin de pouvoir le réutiliser pour une autre couleur.

6 Passez la peinture sur le pochoir en commençant par peindre, par petites touches, les feuilles et les tiges du dessin. Assurez-vous que les contours sont nets.

N'oubliez pas de bien mélanger votre peinture pour la rendre homogène : la colle qu'elle contient ne doit pas former d'amalgame sur la surface à peindre.

7 Préparez la peinture bleue comme vous l'avez fait pour la verte.

8 Vous pouvez maintenant peindre les raisins en prenant garde que la peinture bleue ne déborde pas sur le vert.

9 Une fois le motif peint, vous pouvez retirer le pochoir. Soulevez-le délicatement sans abîmer la peinture fraîche.

10 Lorsque la peinture est sèche, reprenez les contours du dessin à l'aide du pinceau fin.

11 Si nécessaire, supprimez au cutter les surplus de peinture dépassant des contours.

12 Lorsque l'ensemble de la décoration est sec, retirez le ruban adhésif.

Ce dessous-de-plat tout simple forme un joli décor sur la table de votre cuisine.

THÈME 7

LES COULEURS

Il existe une infinité de couleurs, mais toutes sont composées à partir de trois couleurs de base appelées couleurs primaires. Le mélange de deux primaires, voire plus, donne une nouvelle couleur, que l'on qualifie de secondaire. Le mélange d'une couleur primaire et d'une couleur secondaire forme une couleur tertiaire. Il faut connaître ces associations pour obtenir exactement la couleur souhaitée.

Les couleurs primaires

En peinture, les trois couleurs primaires sont le jaune, le cyan et le magenta. Leur combinaison, suivant les quantités utilisées, donne toutes les teintes de la gamme chromatique. Vous pouvez en faire vous-même l'essai sur une palette.

Le jaune

C'est la couleur la plus lumineuse des trois couleurs primaires. Étant la plus claire, elle se détache des autres. Le jaune est peu couvrant, aussi faut-il généralement en passer plusieurs couches pour obtenir une couverture identique à celle des autres couleurs.

Le cyan

Un bleu moyen plus couramment connu sous le nom de bleu cyan, il possède un meilleur pouvoir couvrant que le jaune. Lumineux, lui aussi, il l'est cependant moins que le jaune.

Le magenta

Certains l'appellent pourpre. Mais en aucun cas il ne faut le confondre avec le rouge que l'on obtient en mélangeant du magenta et du jaune. Le magenta a un grand pouvoir couvrant et possède beaucoup d'éclat.

Les couleurs secondaires

Comme nous le savons, le mélange de deux couleurs primaires donne une couleur secondaire. Les couleurs secondaires, comme les couleurs primaires, sont au nombre de trois.

Sur les pots et tubes de peinture, le nom des couleurs apparaît sous sa dénomination naturelle. Mais il faut savoir que le ton, la texture et le brillant peuvent varier notablement selon le fabricant. On en tiendra compte pour choisir la couleur qui convient le mieux au motif, ce qui peut conduire, pour un même décor, à recourir à des produits de marques différentes.

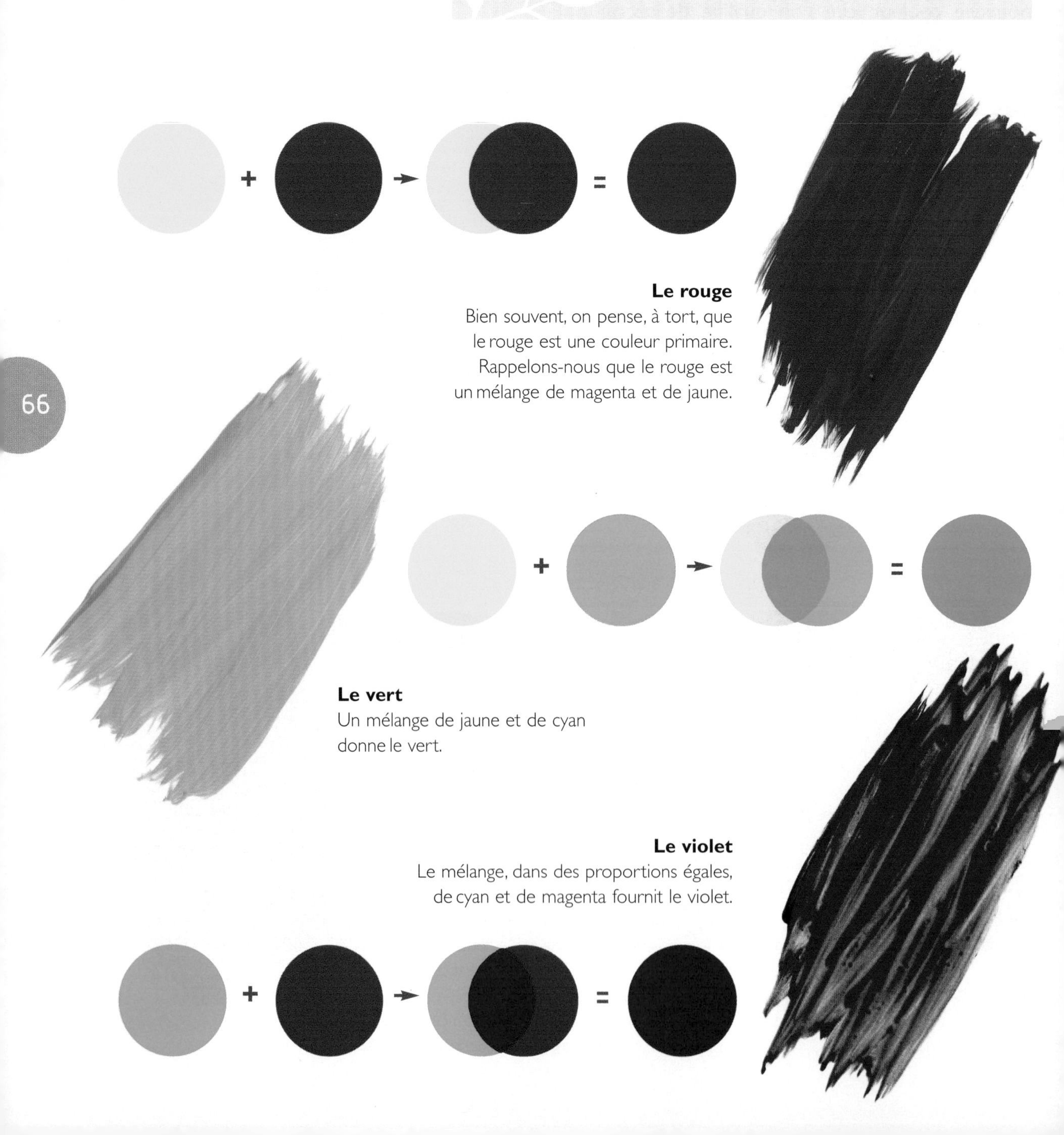

Le rouge
Bien souvent, on pense, à tort, que le rouge est une couleur primaire. Rappelons-nous que le rouge est un mélange de magenta et de jaune.

Le vert
Un mélange de jaune et de cyan donne le vert.

Le violet
Le mélange, dans des proportions égales, de cyan et de magenta fournit le violet.

L'harmonie des couleurs

Il convient de veiller, au cours du travail, à ce que les couleurs s'harmonisent entre elles, en évitant un contraste trop fort entre les différents tons, à moins que ce ne soit le but recherché.

• Une couleur complémentaire s'obtient toujours en mélangeant une couleur primaire et une couleur secondaire.
• En peinture sur céramique, on utilise généralement des couleurs prêtes à l'emploi que l'on trouve dans le commerce. Par conséquent, on les mélange rarement pour obtenir un nouveau ton. Cependant, mieux vaut connaître, même sommairement, les couleurs et les différentes teintes que l'on obtient en les mélangeant.

Les couleurs complémentaires

Les couleurs complémentaires sont celles qui, mélangées entre elles, donnent le noir. Suivant les couleurs utilisées, on obtient rarement le noir absolu mais plutôt un noir brunâtre.

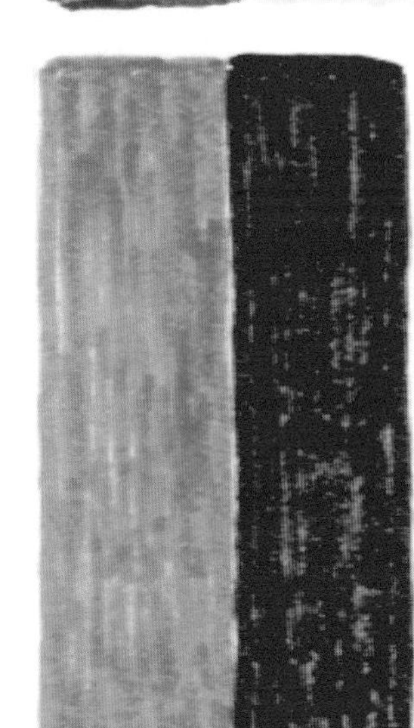

La complémentaire du jaune
La couleur complémentaire du jaune est le bleu foncé. Le mélange de ces deux teintes aboutit à un vert très foncé, presque noir.

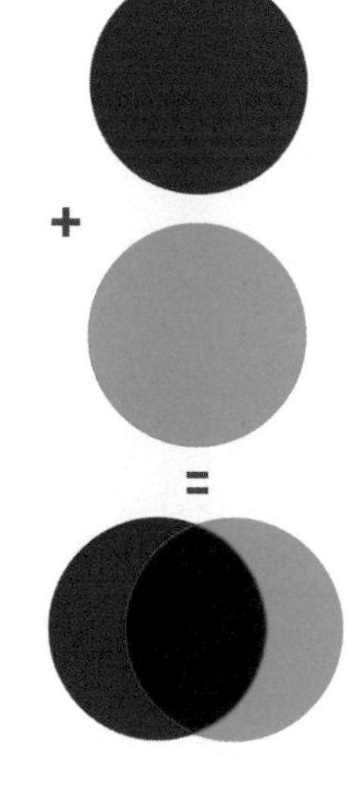

La complémentaire du magenta
La couleur complémentaire du magenta est le vert. Leur mélange donne du noir.

La complémentaire du cyan
La couleur complémentaire du cyan est le rouge. En les mélangeant, on obtient aussi du noir.

Le contraste

On appelle contraste la différence produite, que ce soit par le ton ou la couleur, entre deux couleurs juxtaposées.

Ces connaissances de base suffisent pour réaliser une décoration colorée et attrayante. Pour combiner les couleurs entre elles et parvenir à l'effet souhaité, vous vous plongerez avec intérêt dans la découverte des richesses multiples des couleurs et de la gamme infinie que vous offre le jeu chromatique.

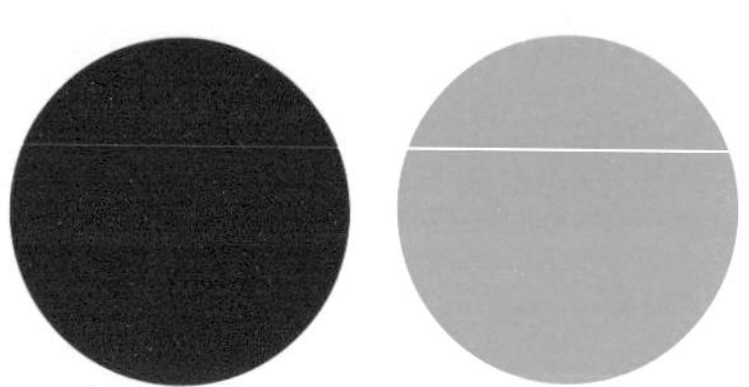

Le contraste de couleurs
Si vous placez l'une à côté de l'autre deux couleurs différentes d'une même intensité, vous obtenez un contraste de couleurs.

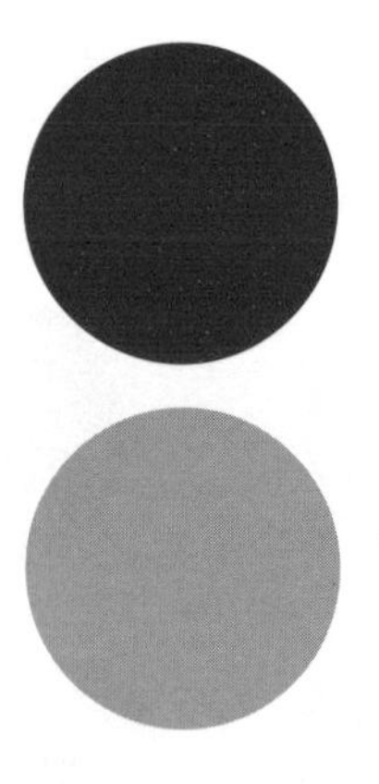

Le contraste de tons
Si vous placez l'une à côté de l'autre une couleur sombre et la même couleur en plus clair, vous obtenez un contraste de tons.

Le contraste de couleur et de ton
La juxtaposition d'une couleur sombre et d'une couleur différente mais plus claire donne un double contraste de couleur et de ton.

Pot à crayons

Une couleur unique permet d'obtenir un motif aussi joli que séduisant.
Le sujet que nous vous proposons ici en est un bel exemple. Ces tiges de bambou constituent un dessin original, en quelques touches de pinceau.

Voici le motif que nous vous proposons de reproduire.

MATÉRIEL

1. Pot de céramique blanche
2. Peinture pour céramique à froid : noir
3. Pinceaux n°s 2 et 00
4. Crayon à papier à mine tendre
5. Papier absorbant ou chiffon
6. Palette ou carreau de céramique
7. Récipient pour l'eau

1 Lavez soigneusement le pot à grande eau, avec du savon ou du détergent. Vous constaterez qu'il s'éclaircit au lavage. Une fois cette opération terminée, séchez-le parfaitement.

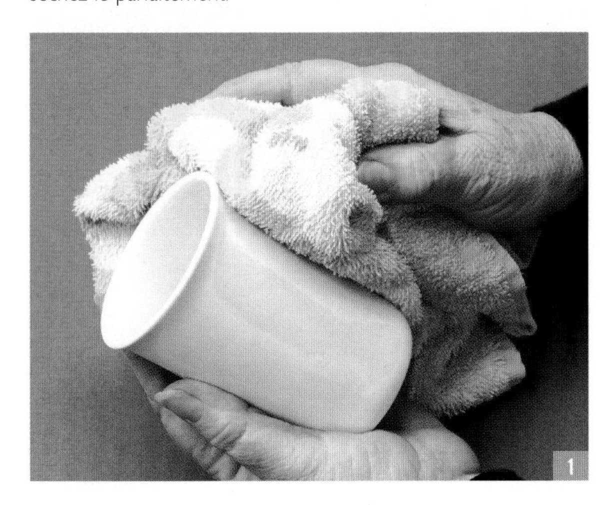

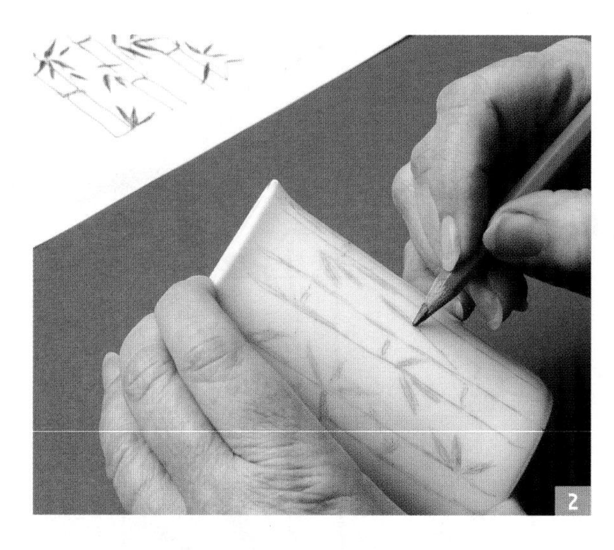

2 Vous pouvez dessiner directement sur la céramique avec le crayon à papier à mine tendre. Si vous le préférez ou si vous n'êtes pas sûr de votre trait de crayon, reproduisez-le sur du papier calque, puis sur le pot avec du papier carbone.

3 Maintenant préparez la peinture noire. Mélangez-la avec un bâtonnet pour la rendre homogène.

4 Versez sur la palette une petite quantité de peinture noire. Pour ce motif, une faible quantité de peinture suffit.

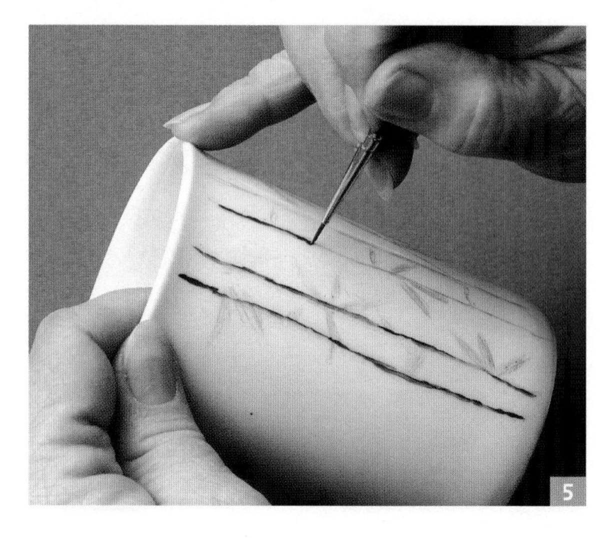

5 Chargez légèrement le pinceau n° 00 et suivez les contours de la tige de bambou.

Commencez toujours par peindre le côté opposé à la main qui peint (si vous êtes droitier, commencez par le côté gauche et inversement si vous êtes gaucher). Vous éviterez ainsi de poser la main sur la peinture fraîche et d'abîmer votre travail.

Lavez soigneusement votre pinceau dès que vous n'en avez plus l'utilité ou si vous devez vous en servir pour passer une autre couleur.

6 Prenez maintenant le pinceau n° 2 et chargez-le de peinture.

6

7 Peignez les feuilles en commençant par placer le pinceau sur la partie la plus proche du tronc. Appuyez progressivement sur le pinceau pour écarter les poils, ce qui vous permettra de peindre la feuille qui se termine en pointe.

7

Le pinceau est votre outil le plus précieux : conservez-le en parfait état.

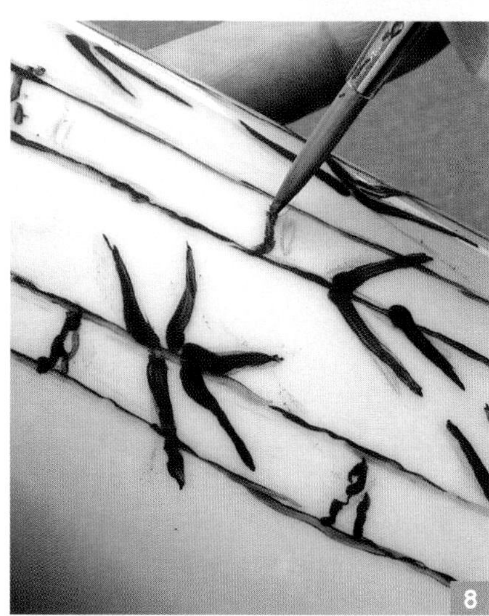

8

8 Toujours avec le pinceau n° 2, marquez les traits qui forment les nœuds des tiges.

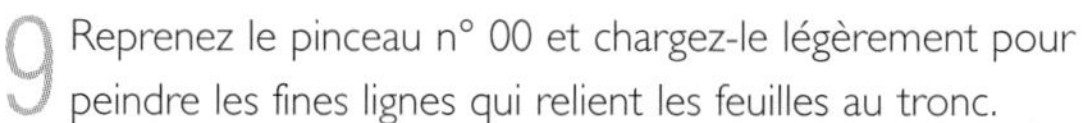

9 Reprenez le pinceau n° 00 et chargez-le légèrement pour peindre les fines lignes qui relient les feuilles au tronc.

9

10 Lorsque les trois tiges de bambou sont sèches, peignez-en trois autres pour achever la décoration du pot.

10

La décoration de votre pot est terminée. Comme vous le constatez, peu de couleurs peuvent suffire à réaliser une décoration stylisée et agréable à l'œil.

THÈME 8

DÉTOURER UN MOTIF

Certains motifs demandent un contour détouré qui accentue leurs formes et leurs détails pour produire un bon effet d'ensemble. Une série de facteurs qui conditionnent la réussite du dessin interviennent dans cette technique.

Les éléments de base

Trois éléments interviennent dans la qualité d'un détourage : les pinceaux (type de pinceaux utilisés, grosseur, poils, etc.), la peinture (ton, densité, etc.) et la manière de peindre (touches larges, étroites, appuyées...).

Les pinceaux

Pour détourer, on utilise un pinceau en poils synthétiques capable de tracer des lignes très fines. Il existe des pinceaux spéciaux à poils longs mais d'un maniement difficile pour un débutant.

La peinture

La peinture doit être suffisamment fluide pour s'étaler facilement sur la surface de la céramique. Trop liquide, elle risquerait cependant de couler sur le dessin et de causer des dégâts sérieux, le détourage intervenant en dernier.

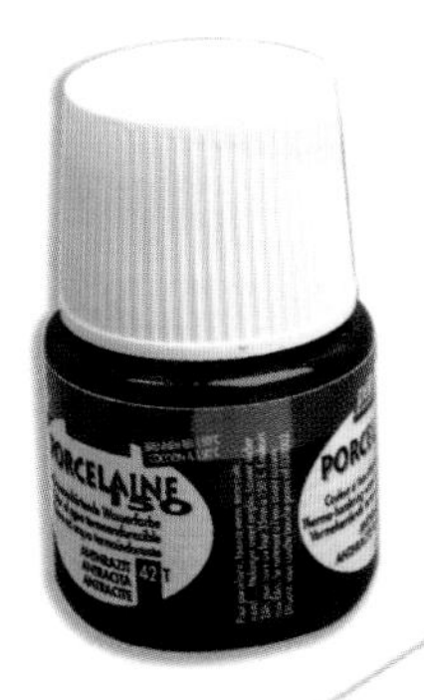

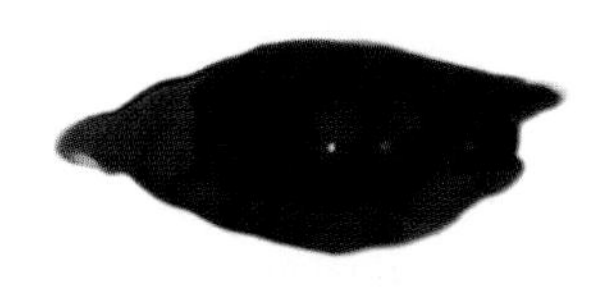

La manière de peindre

Le pinceau devra être chargé légèrement. En effet, dans le cas contraire, lorsqu'on l'appuie sur la partie à peindre, il se forme un dépôt de peinture qui serait excessif pour le détourage du motif. La pression exercée doit être égale pour obtenir un tracé uniforme.

Les différents types de détourage

Le détourage permet de mettre en valeur certains éléments d'un dessin. Chacun de ces éléments peut d'ailleurs être détouré d'une manière différente. L'épaisseur du trait et la couleur peuvent varier, et certaines parties peuvent ne pas être détourées.

Le détourage fin de couleur noire

La plupart des dessins sont détourés à l'aide d'un fin trait noir, d'une épaisseur égale, qui met en valeur chaque élément de l'ensemble.

Le détourage plus épais

Pour mettre en valeur certains motifs, il faut les détourer par un trait épais. Les contours du centre du dessin seront, en revanche, détourés par une ligne fine. Lorsque le dessin est détouré par un trait épais, il se détache mieux. Pour ce genre de motif, le trait est généralement de couleur noire.

Le détourage en couleur

Un trait coloré peut aussi mettre en valeur un dessin. On choisit en général un ton plus clair ou plus foncé que celui du motif que l'on va détourer, obtenant ainsi une harmonie ou un contraste de couleurs.

La couleur et le détourage

Dans toute décoration, les couleurs revêtent une grande importance et influent les unes sur les autres. Ainsi une couleur dominante peut-elle déterminer les différents tons qui l'accompagneront.

Le détourage sur une céramique blanche

Détourer d'un trait noir un dessin peint sur une céramique blanche le mettra en valeur car ses couleurs se détacheront parfaitement.

Le détourage sur une céramique blanc cassé ou crème

Dans ce cas, une couleur marron ou sépia appartenant à la même gamme chromatique conviendra mieux. Ces tons sont conseillés lorsque les teintes du dessin ne comportent pas de couleurs contrastantes.

Le détourage sur une céramique foncée

Les détourages à la peinture blanche sont spectaculaires et très décoratifs. Le trait de peinture blanche forme barrière entre le dessin et la céramique sombre. Que le dessin comporte des couleurs vives ou douces, le blanc le fait toujours se détacher du fond.

Le détourage en art

Le détourage est une technique très ancienne, utilisée pour souligner les contours de dessins d'une grande diversité de formes. Les Japonais le pratiquaient déjà dans l'Antiquité, et son intérêt ne s'est jamais démenti au cours de l'histoire, car il a été mis à profit pour créer de nouveaux styles et certains effets esthétiques.

Le style Kakiemon
Ce style japonais très ancien a fait l'objet de nombreuses imitations au cours des siècles. Le rouge, le bleu, le vert et le jaune en sont les couleurs dominantes, avec un détourage noir. Sa particularité réside dans le fait que la ligne de contour se montre parfois discontinue.

Le style Art nouveau
Bien des siècles plus tard, et sous des formes très différentes, le style Art nouveau s'inspira du passé et se renouvela par la mise en valeur des contours des motifs. L'époque de l'Art nouveau coïncide avec le renouveau de la céramique.

Le style Liberty
Ce style présente des motifs aux courbes sinueuses et des contours formant contraste. Ainsi un fruit jaune aura-t-il des contours détourés en noir ou en orange, ce qui le mettra fortement en valeur.

THÈME 8 PAS À PAS

Carreau de céramique
au dessin abstrait

Un simple carreau peut devenir le support d'une peinture sur céramique. Le motif choisi dans ce chapitre, mis en valeur par un détourage, convient parfaitement pour décorer une chambre ou toute autre pièce. Le choix et la combinaison des couleurs revêtent une grande importance.

Voici le motif à peindre sur le carreau.

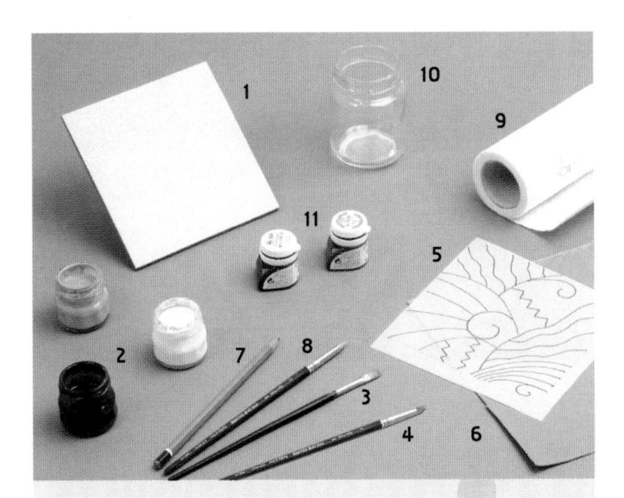

MATÉRIEL

1. Carreau émaillé blanc
2. Peintures à l'eau : bleu blanc et marron clair
3. Pinceau plat n° 10
4. Pinceau rond n° 10
5. Papier calque
6. Papier carbone
7. Crayon à papier
8. Gomme
9. Papier absorbant ou chiffon
10. Récipient pour l'eau
11. Peinture noire et peinture dorée

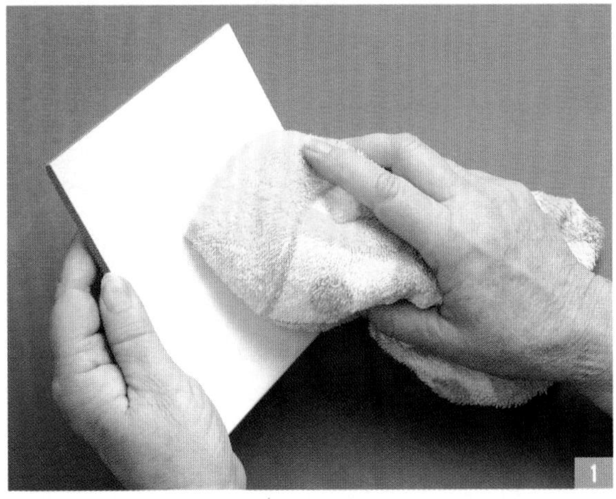

1 Commencez par laver le carreau de céramique à l'aide d'un chiffon humide afin d'éliminer toute impureté, poussière, matière grasse, etc.

Lorsqu'on utilise de la peinture à l'eau, il faut veiller à ne pas trop mouiller la partie non émaillée du support, car dans le cas contraire, elle absorbe l'eau et sèche difficilement, entretenant une humidité qui empêche la peinture de se fixer convenablement.

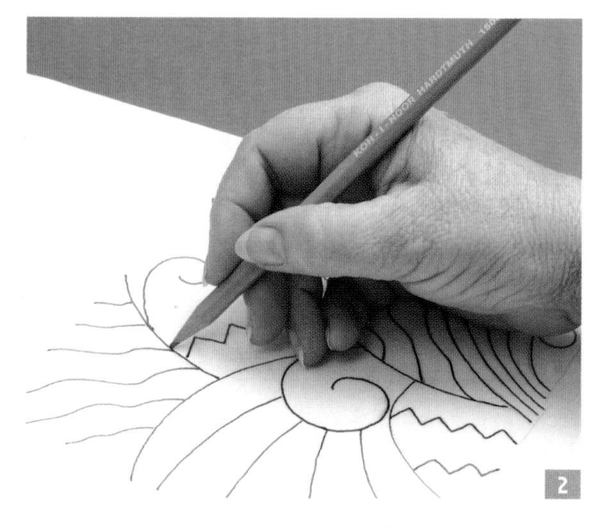

Les peintures se préparent au fur et à mesure de l'avancement du travail car elles sèchent très vite. Si vous les préparez toutes en même temps, la dernière préparée aura commencé à durcir au moment de son utilisation.

2 Reproduisez le dessin sur le papier calque, puis transférez-le sur le carreau en utilisant le papier carbone.

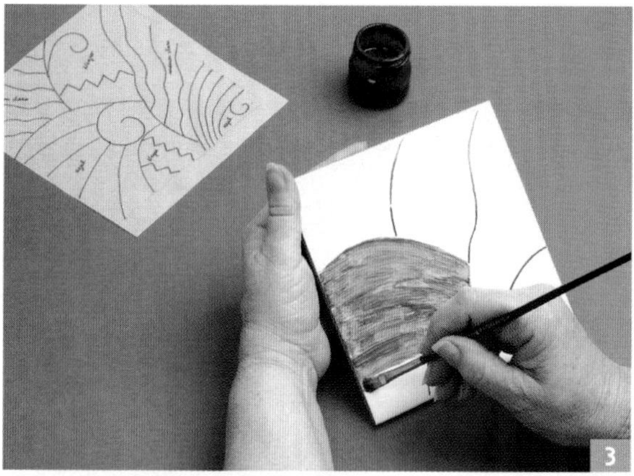

3 Préparez la peinture bleue en la mélangeant pour qu'elle soit bien homogène. Puis chargez légèrement le pinceau plat n° 10 et, en suivant le dessin original, peignez-en les différentes parties. Veillez à toujours passer le pinceau dans le même sens.

4 Agitez vigoureusement le pot de peinture blanche et chargez-en le pinceau que vous aurez soigneusement nettoyé au préalable. Puis peignez en blanc l'espace situé entre les zones revêtues de peinture bleue.

5 Procédez de la même façon avec le marron clair que vous passez par-dessus la couche de peinture blanche. Le marron s'estompe au contact de la peinture blanche pour donner un aspect fondu.

Pour transférer le dessin sur le support en céramique, on utilisera du papier carbone au graphite qui ne tache pas, plutôt que le papier carbone classique qui est susceptible de laisser des traces noires.

6 Continuez de passer la peinture marron clair sur l'autre zone peinte en blanc.

7 En suivant le modèle, peignez en noir les parties qui doivent recevoir cette couleur.

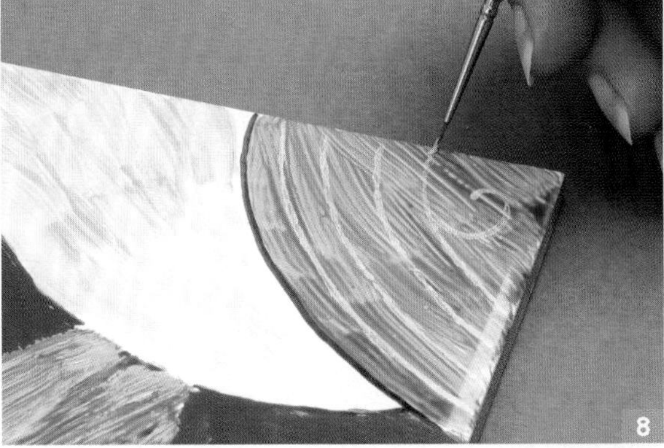

Nettoyez toujours avec soin votre pinceau après usage de manière à l'utiliser chaque nouvelle fois sans altérer l'éclat de la peinture suivante.

8 Lorsque les différentes couleurs sont sèches, tracez les lignes décoratives à l'aide du pinceau n° 0 chargé de peinture dorée.

9 Après avoir soigneusement nettoyé votre pinceau à l'eau savonneuse, sur la partie peinte en marron clair, reproduisez les lignes ondulées avec la peinture marron clair.

10 Lavez à nouveau votre pinceau et sur la partie peinte en noir, tracez les lignes décoratives blanches. Laissez séchez 24 heures avant de passer le carreau de céramique au four.

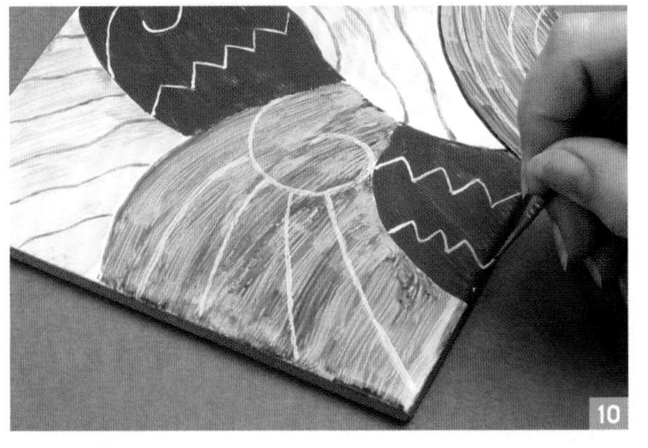

Les lignes décoratives s'exécutent avec un pinceau suffisamment chargé de peinture. Une certaine épaisseur de peinture leur permet de mieux se détacher du reste de la décoration.

Voici les carreaux de céramique après 30 minutes de cuisson dans un four domestique à 150 °C.

THÈME 9

TECHNIQUE MIXTE (1)

Combinaison de deux techniques

Pour décorer un même objet, rien n'empêche de faire appel à deux techniques différentes. Il peut s'agir de techniques de peinture à froid ou de techniques nécessitant une cuisson à haute température. C'est pourquoi il faut utiliser des céramiques cuites mais non émaillées, c'est-à-dire des biscuits.

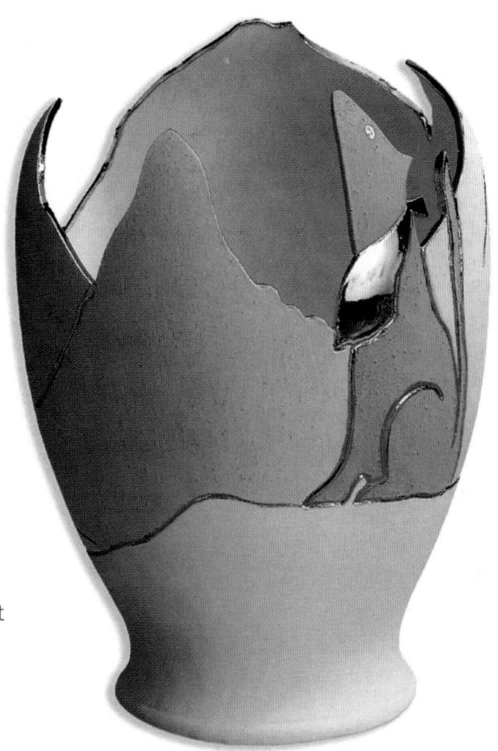

L'extérieur
Plusieurs techniques peuvent être utilisées pour peindre l'extérieur d'un objet. Elles ont pour point commun que les peintures ne nécessitent pas de cuisson pour être fixées.

L'intérieur
En principe, l'intérieur d'un objet est décoré avec un matériau supportant une cuisson à haute température, entre 950 ° et 1 075 °C.

L'ensemble
Une décoration combinant plusieurs techniques peut se révéler très attrayante et donner un ensemble harmonieux, agréable à regarder. Tout l'art consiste à allier judicieusement ces techniques.

Le fini intérieur

Il peut être réalisé avec différents matériaux et varie selon la couleur et le rendu souhaités – mat ou satiné.

Vernis et émaux
Le vernis et l'émail forment une pellicule vitrifiée qui imperméabilise la céramique. Ce sont des peintures à l'eau qui possèdent une consistance presque liquide. Une fois appliqués sur le biscuit, ils sèchent puis font l'objet d'une cuisson entre 950 ° et 1 075 °C selon le produit utilisé.

Couleur et émail incolore
Vous désirez employer une couleur particulière mais elle n'existe pas dans la gamme des peintures émaillées... Appliquez sur cette couleur, une fois sèche, une couche de vernis incolore qui donnera un aspect vitrifié à votre décoration. Cette méthode demande un peu plus de travail mais vous obtiendrez la teinte qui vous plaît.

Vernis incolore
Il peut être préférable, ou nécessaire, que l'intérieur de l'objet ne soit pas peint. Dans ce cas, on appliquera directement le vernis sur le biscuit et la céramique demeurera blanche.

Le fini extérieur

Il s'obtient avec l'une des nombreuses techniques utilisées pour appliquer la peinture à froid, à base d'eau, sur une céramique en biscuit. La porosité de la céramique permet à la peinture de se fixer facilement.

Aspect craquelé

Le craquelé est une décoration spectaculaire. Les quatre étapes de sa réalisation sont les suivantes :

– passez une couche de peinture de la couleur souhaitée ;
– passez ensuite une couche de peinture à craqueler ;
– attendez que la couche de peinture se craquelle ;
– appliquez un vernis pour peinture à froid qui fixera le craquelé.

Imitation de la pierre

Certaines peintures contiennent une substance qui, une fois appliquée, imite l'aspect et la rugosité de la pierre. Elles existent en plusieurs teintes et peuvent être mélangées entre elles.

Aspect rugueux

Il s'obtient au moyen de produits qui forment sur l'objet une pellicule rêche, rugueuse au toucher. Ils existent en plusieurs couleurs. Combinés avec une peinture de texture lisse, ils permettent de réaliser une décoration séduisante et originale.

Des solutions simples

Pour réaliser un motif complexe, sophistiqué, en combinant plusieurs techniques, il n'est pas forcément nécessaire de recourir à un matériel et à des outils spécifiques. Ceux qui ont été utilisés dans les chapitres précédents peuvent suffire. Pinceaux et éponges permettent de réaliser presque toutes les décorations imaginables.

Matériaux
Le support des peintures sera un biscuit, c'est-à-dire une céramique cuite non émaillée. Après cuisson, le vernis présente une couche vitrifiée imperméable. Les peintures pour céramique s'appliquent avec un pinceau ou une éponge, selon la finition souhaitée.

Avantages et inconvénients
La facilité d'application de ces peintures peut vous séduire. Elles présentent pourtant un inconvénient : elles ne peuvent être employées que pour des objets décoratifs et non pour des objets à usage alimentaire.

Réalisation
Commencez par peindre l'intérieur de l'objet en utilisant un vernis, un émail ou une couleur vernissée incolore, selon l'option retenue. Faites-lui subir une cuisson dans le four à céramique, à la température adéquate, pour fixer la peinture. Une fois l'intérieur terminé, peignez l'extérieur selon la technique que vous avez choisie.

THÈME 9 PAS À PAS

Pot avec anses

Une technique mixte va permettre de décorer cette pièce en biscuit : l'intérieur sera revêtu d'un vernis et la pièce passée ensuite au four à céramique, et l'extérieur recevra une peinture à froid. Ce récipient pourra accueillir un bouquet de fleurs séchées ou trouver d'autres usages qui le mettront en valeur.

Ce dessin peut vous servir de modèle pour décorer votre pot.

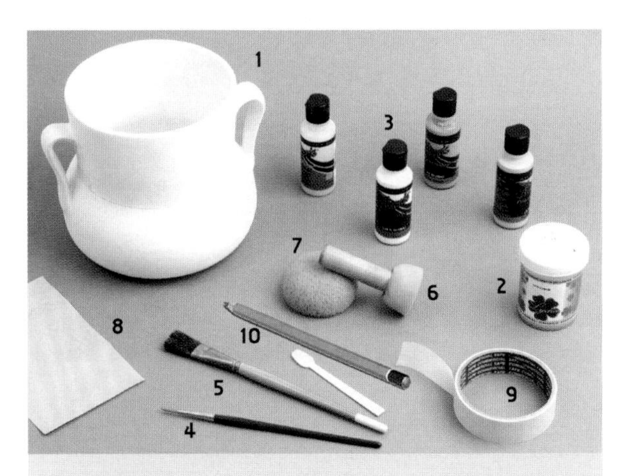

MATÉRIEL

1. Pot en biscuit
2. Vernis opaque satiné bleu
3. Peintures à céramique acryliques : bleu, blanc marbre et marron clair
4. Pinceau n° 4
5. Spatule ou pinceau plat
6. Éponge synthétique à grain fin
7. Éponge pour nettoyer l'objet
8. Papier de verre
9. Ruban adhésif
10. Crayon

1 Examinez attentivement l'objet et poncez-le s'il présente quelques aspérités ou petits défauts qui pourraient nuire à la bonne exécution de la décoration.

2 Lavez-le à l'aide d'une éponge humide afin d'en éliminer toute poussière, graisse ou autres particules.

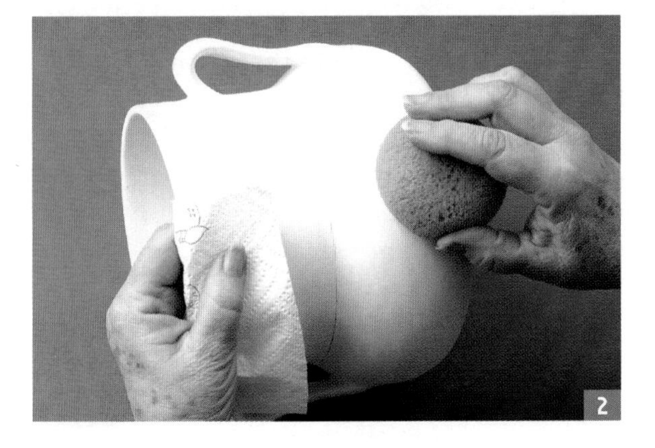

3 Agitez le pot de vernis bleu pour bien le fluidifier. Vous pouvez aussi utiliser une baguette en bois ou un bâtonnet en plastique.

Avant d'appliquer une nouvelle couche de peinture, il est impératif d'attendre que la couche précédente ait séché complètement.

4 Versez dans le récipient en biscuit une petite quantité de vernis dilué avec de l'eau.

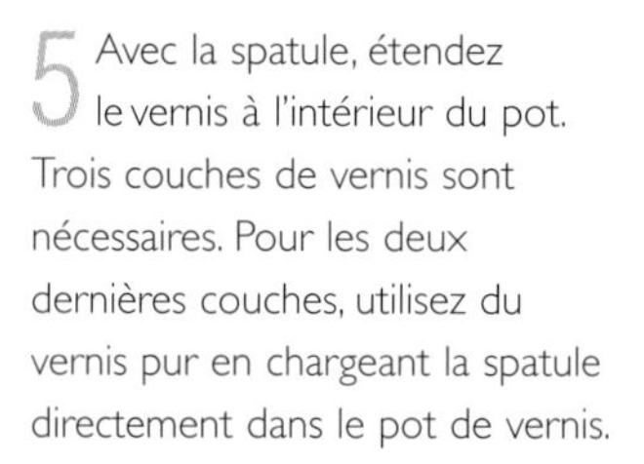

5 Avec la spatule, étendez le vernis à l'intérieur du pot. Trois couches de vernis sont nécessaires. Pour les deux dernières couches, utilisez du vernis pur en chargeant la spatule directement dans le pot de vernis.

6 Marquez la limite du col du pot à l'aide de ruban adhésif. Tracez ensuite une ligne pour marquer les limites des parties à émailler.

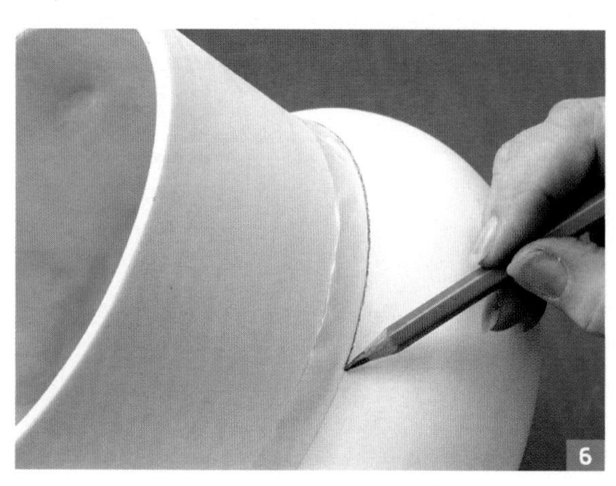

7 Peignez les anses avec ce même vernis bleu. Déposez là aussi trois couches, et trois couches également sur la partie supérieure du pot. Laissez sécher puis procédez à la cuisson à une température variant entre 950 ° et 1 075 °C.

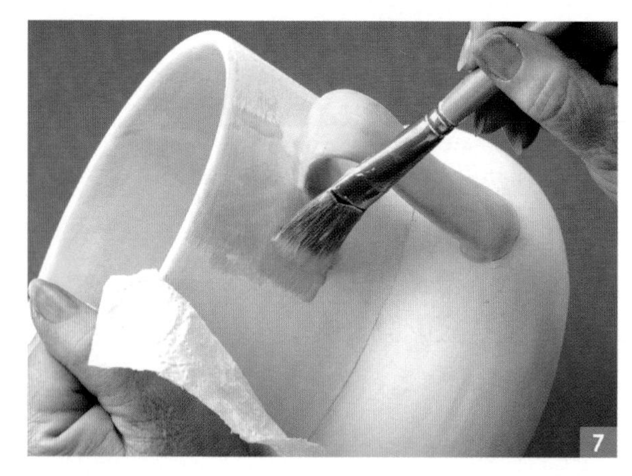

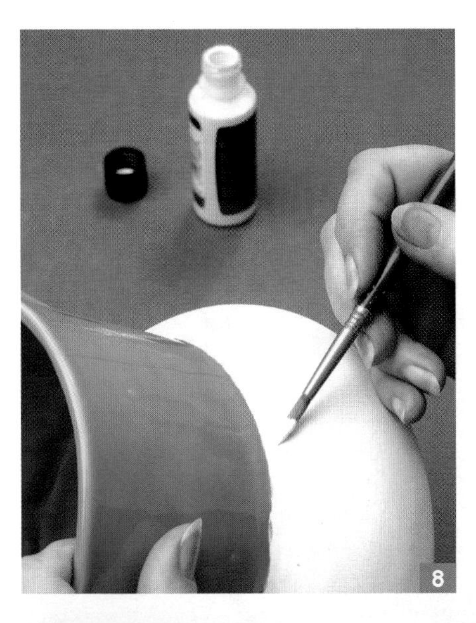

8 Lorsque le vernis émaillé est fixé, préparez la peinture acrylique blanc marbre et peignez les parties non émaillées du pot.

9 Diluez maintenant dans un peu d'eau une petite quantité de peinture acrylique bleue et, à l'aide d'une éponge à grain fin, couvrez toute la partie non émaillée de petites touches irrégulièrement réparties.

Pour réaliser ce travail, on n'utilise qu'un seul pinceau. On le nettoiera minutieusement afin de le débarrasser de toute trace de peinture et d'éviter que les couleurs ne se mélangent.

10 Agitez le pot de peinture marron clair pour rendre la peinture homogène. Chargez directement le pinceau dans le pot pour exécuter de petits traits disposés irrégulièrement.

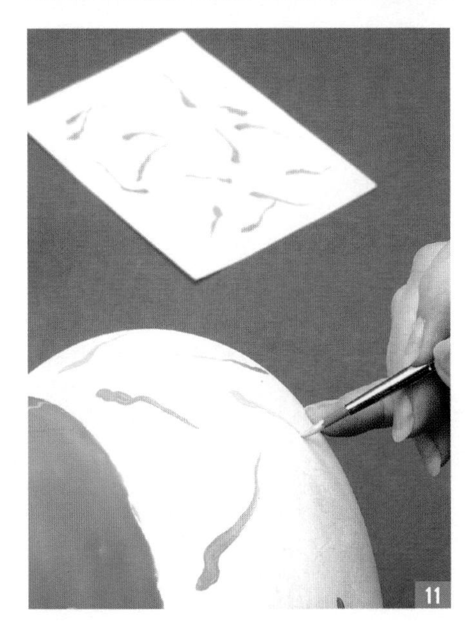

11 Procédez de la même façon avec la peinture bleue acrylique, en disposant des traits bleus au gré de votre inspiration.

12 Une fois la peinture sèche, passez un vernis acrylique transparent sur toute la partie du pot qui a été décorée avec la peinture à froid.

Ce pot a reçu un beau bouquet de lavande séchée, ajoutant une touche à la fois discrète et élégante à votre intérieur.

THÈME 10

TECHNIQUE MIXTE (2)

Aucune règle ne régit la combinaison des techniques. Le plus souvent, c'est le motif ou la forme de l'objet qui en détermine le choix.

Utilisation de deux techniques

En général, la cuisson au four à céramique est utilisée pour la décoration intérieure de l'objet et la peinture à froid pour l'extérieur. Il en résulte que le récipient peut contenir des liquides car il est devenu imperméable. L'extérieur, en revanche, ne l'est pas et l'objet risque de s'abîmer au contact de l'eau. Il sera donc avant tout décoratif.

Vernis et décor à froid

Le vernis qui a servi à imperméabiliser l'intérieur de l'objet peut être appliqué également sur les parois extérieures. Mais rien n'empêche de réserver quelques parties afin de les décorer à la peinture à froid. Seul inconvénient, sans vernis, le récipient ne supportera pas le contact de l'eau.

Utilisation de trois techniques

Lorsque la partie interne de l'objet à décorer est accessible, elle fait l'objet d'un vernissage et la pièce reçoit une cuisson au four. La décoration extérieure peut faire appel à deux techniques différentes.

Adapter la décoration à l'objet

Chaque objet réclame un décor en harmonie avec lui.
Le décor est inspiré de la forme de l'objet.
C'est pourquoi certains motifs, bien que splendides, ne conviennent pas à certains types d'objets.

Vases et objets à large col

Ces objets sont le plus souvent vernis ou émaillés à l'intérieur, tandis que leur paroi extérieure porte un décor peint à froid. Parfois, pour les cache-pots par exemple, il suffit de réaliser une bande vernie sur leur partie externe. L'intérieur ne sera pas verni puisqu'il sera rempli de terre. Le reste du cache-pot est décoré avec une peinture à froid.

Vase à col étroit

L'intérieur du vase ne sera pas verni. Toutefois la partie visible de l'intérieur du col est recouverte d'une couche de vernis qui peut descendre jusqu'à plusieurs centimètres de profondeur. L'extérieur reçoit une peinture à froid.

Peindre une boîte

Le meilleur parti à prendre est de vernir ou émailler l'intérieur de la boîte. Éventuellement, on en fera autant pour l'extérieur et le couvercle. L'utilisation d'une technique différente pour la base et pour le couvercle permet d'obtenir un effet plus contrasté.

Importance des matériaux utilisés

La gamme de vernis et émaux disponibles dans le commerce offre un vaste choix qui se prête à de multiples combinaisons. On gardera présent à l'esprit que le choix des matériaux autant que celui du dessin confère son esthétique à l'objet.

Couleur et vernis incolore
Un moyen existe de créer un effet particulier qui n'existe pas en peinture émaillée. Il consiste à passer la peinture de la couleur souhaitée et, lorsqu'elle est sèche, d'appliquer par-dessus un vernis transparent qui lui donnera un fini vitrifié.

Émaux et vernis lisses
Selon sa couleur, le détourage fait ressortir le dessin avec plus ou moins de contraste. Réalisé en noir, il se remarquera davantage dans un dessin coloré peint sur une céramique blanche.

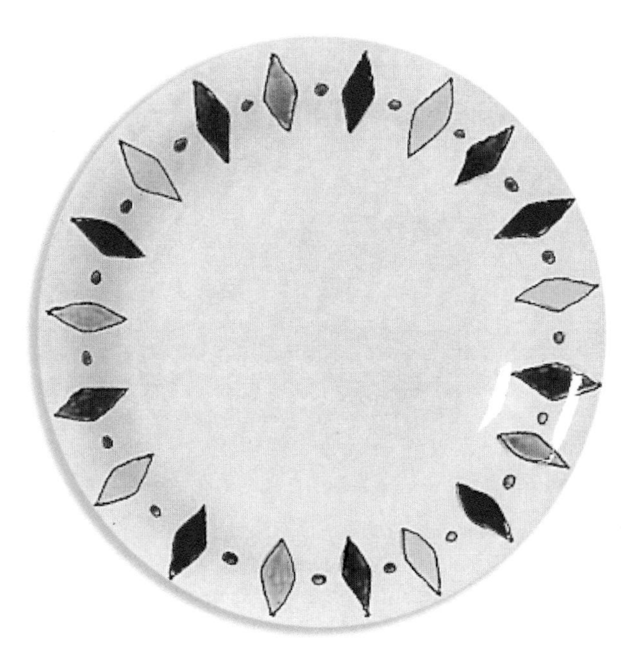

Émaux spéciaux
Le commerce propose aussi des émaux d'une texture différente de celle évoquée au début de ce chapitre. Ils donnent un fini rugueux, rêche et de consistance irrégulière, utilisé le plus souvent pour la finition extérieure des objets.

Les finis

Le fini d'un objet est déterminant dans l'impression qu'il produit. Il peut être brillant, satiné ou mat.

Brillant

La plupart des peintures émaillées possèdent un fini brillant. Mais les objets étant généralement émaillés à l'intérieur, cet aspect brillant caractéristique n'apparaît pas. Pour l'obtenir à l'extérieur, on utilisera une peinture à froid brillante.

Satiné

On peut préférer donner à l'objet une apparence satinée. Il suffit d'utiliser un vernis satiné pour décorer l'intérieur et des couleurs à froid peu brillantes pour l'extérieur. Le satiné s'adapte à toute décoration.

Mat

Un fini mat s'impose lorsque les matériaux utilisés donnent une apparence rugueuse ou irrégulière à l'objet. Le contraste entre l'intérieur vernis brillant et le fini extérieur mat est alors du meilleur effet.

Boîte peinte

Deux techniques vont permettre de décorer cette boîte : l'application d'un émail opaque brillant suivi d'une cuisson pour le couvercle et d'une peinture à froid à texture irrégulière pour le corps de l'objet.

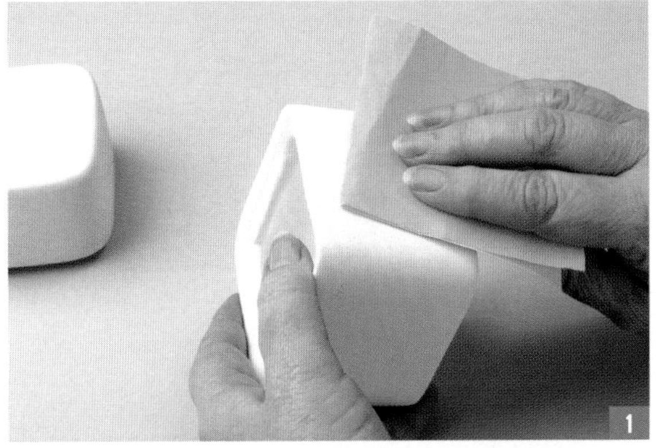

1 Examinez soigneusement la boîte et éliminez au papier de verre toute aspérité ou imperfection qu'elle pourrait présenter.

2 À l'aide d'une éponge humide, lavez la boîte pour en ôter toute salissure ou particule de poussière.

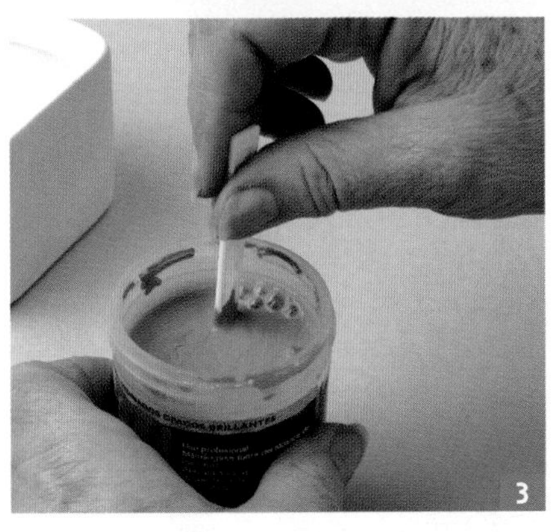

3 Rendez l'émail bien homogène au moyen d'un bâtonnet de bois ou de plastique.

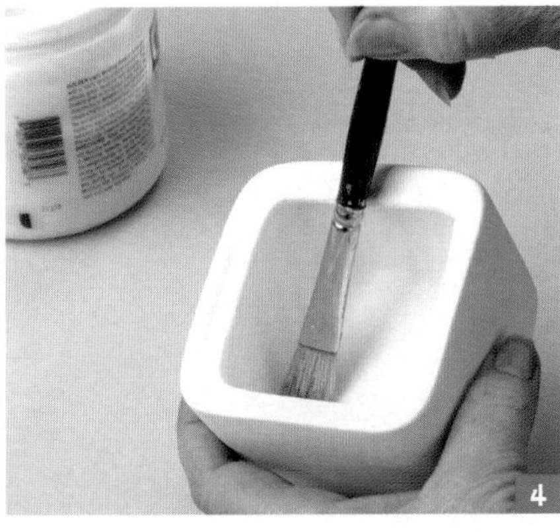

4 Passez une couche de vernis à l'intérieur de la boîte à l'aide du pinceau n° 14.

MATÉRIEL

1. Boîte en biscuit
2. Émail opaque brillant noir
3. Vernis
4. Peinture à texture irrégulière
5. Pinceaux plats n°s 12 et 14
6. Éponge
7. Papier de verre

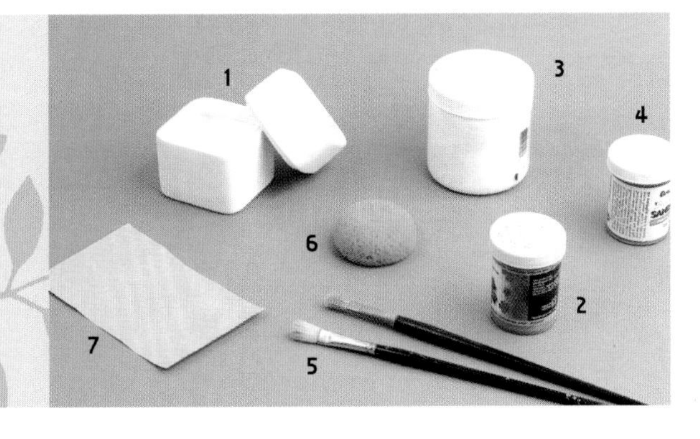

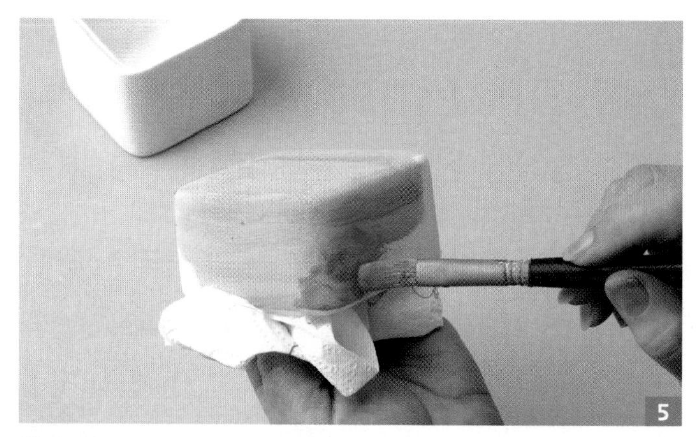

5 Appliquez une première couche d'émail sur l'extérieur du couvercle à l'aide du pinceau n° 12.

Lorsque l'on travaille avec de l'émail ou du vernis, la peinture sèche très rapidement. Toutefois, avant d'appliquer la deuxième couche, mieux vaut s'assurer que la première est complètement sèche.

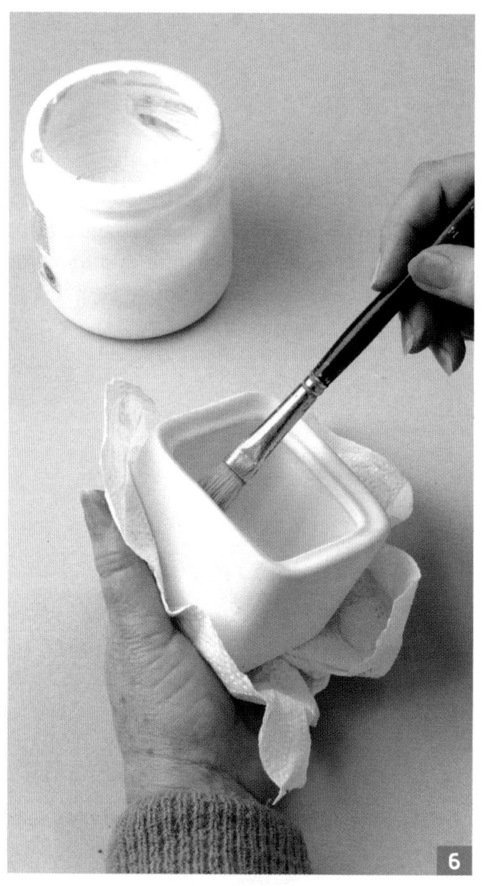

6 Passez une couche de vernis sur la surface interne du couvercle.

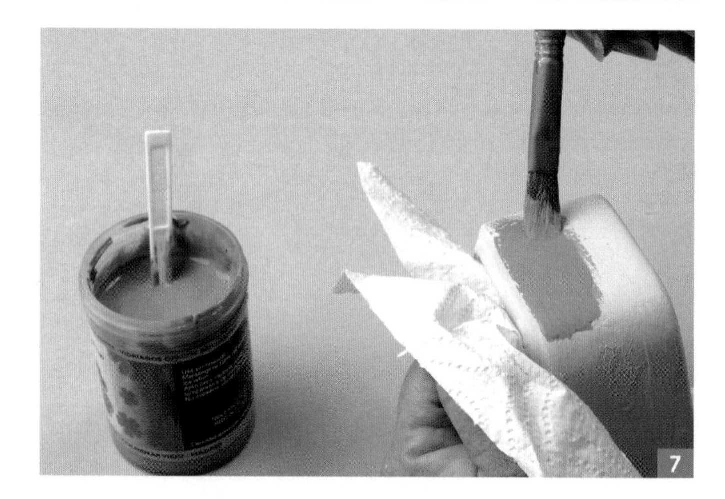

7 Vous pouvez appliquer maintenant une deuxième couche d'émail sur la partie extérieure du couvercle.

Pour éviter de laisser des traces de doigts sur la boîte – ce qui compromettrait la bonne application de la peinture –, il est préférable d'utiliser un papier absorbant ou un tissu pour manipuler l'objet.

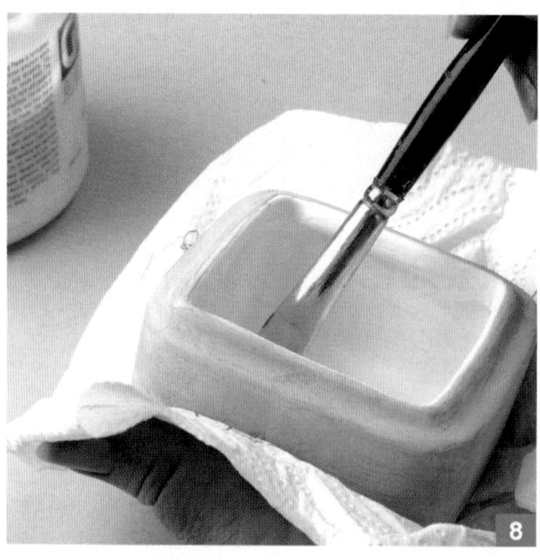

8 Passez la troisième couche de vernis à l'intérieur de la boîte.

En alternant le passage des couches de vernis externes et internes, on permet à chaque couche de sécher avant l'application de la suivante.

9 Appliquez une troisième couche d'émail sur le couvercle. Laissez sécher 24 heures et passez la boîte au four pour fixer le vernis et l'émail.

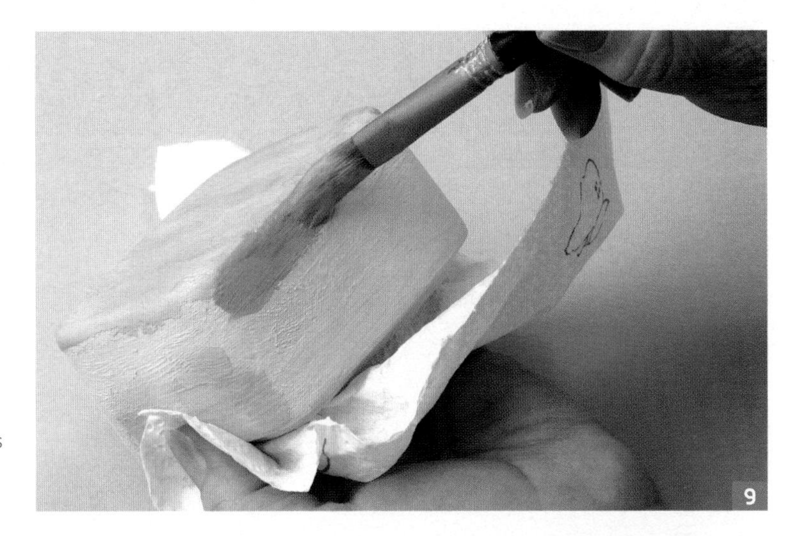

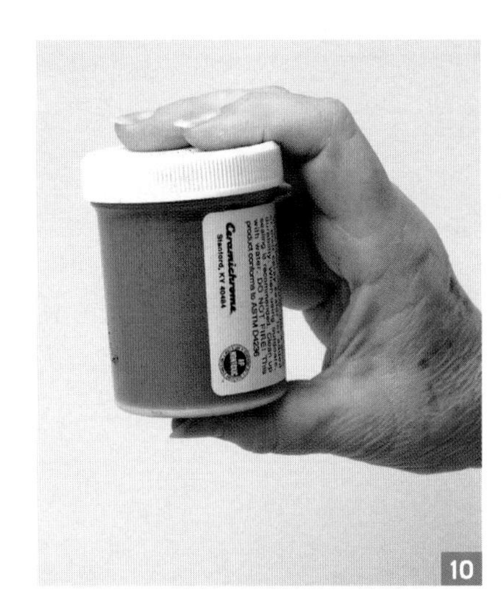

10 Agitez énergiquement le pot de peinture à texture irrégulière pour la rendre homogène.

11 Chargez le pinceau n° 12 de cette peinture et peignez la base de la boîte.

12 Repassez le pinceau sur les parties qui n'ont pas été suffisamment couvertes.

La décoration
de la boîte
est terminée.
Vous avez réalisé
un objet d'une
grande sobriété.

LES BASES

Comme leur nom l'indique, les bases sont des peintures qui s'appliquent avant une couche de vernis. Ce dernier est généralement transparent ou brillant, mais il arrive qu'il soit également satiné ou mat.

Les différentes bases

Il existe de très nombreuses bases mais ce chapitre ne mentionnera que les plus utilisées.

Base de type aquarelle

Cette base peut être mélangée avec de l'eau pour acquérir une plus grande fluidité et elle s'utilise comme une aquarelle. On peut en tirer également pour colorer des vernis, imiter des décorations de faïence. Dans ce cas, on applique la base par-dessus le vernis.

Engobe

L'engobe, mélange d'eau et d'argile appliqué sur des pièces crues ou biscuitées, possède un plus grand pouvoir couvrant. Il peut s'utiliser avec les bases évoquées ci-dessus et est parfaitement approprié pour colorer des fonds. Il s'applique sur des argiles blanche ou rouge.

Tempera

La peinture à tempera s'utilise avec l'engobe, mais elle peut aussi être mélangée à des bases de type aquarelle, éventuellement combinées entre elles. On charge un même pinceau avec deux couleurs différentes et l'on passe une seule couche. Une fois cuit, le dessin est opaque et sa texture un peu épaisse présente quelques reliefs.

Couleurs spéciales

Le rouge est souvent absent des céramiques très anciennes. Les bleus, les jaunes et les verts présentant une grande facilité d'utilisation et de mise en valeur, le rouge n'était utilisé qu'en de rares occasions.

Les rouges et orange vifs
Il y a peu de temps encore, ces deux couleurs n'existaient pas en peinture sur céramique. Elles demandent un passage en trois couches et l'application d'un vernis transparent.

Les bases à l'aspect vieilli
Elles confèrent une certaine patine aux objets qui présentent des reliefs. La base se dépose dans les angles, autour des irrégularités de matière et des éléments en saillie, tout en couvrant les autres parties uniformément. Le fini obtenu donne à l'objet un aspect ancien.

Les bases adaptables
Ces bases possèdent toutes les qualités mentionnées dans ce chapitre et permettent d'obtenir toutes sortes de mélanges. On peut les diluer à l'eau et les passer au pinceau ou avec une éponge, ou encore à l'aérographe si leur fluidité est suffisante.

Le dessin

Le choix de la base est, dans la majorité des cas, fonction du motif de décoration. Le travail est tout différent selon qu'il s'agit de traiter une vaste surface ou un dessin aux multiples lignes et détails. Le motif détermine aussi le choix du type de peinture et de la technique à utiliser. Une réflexion préalable est un facteur essentiel de succès.

Les fleurs

Les fleurs sont le thème de décoration le plus souvent choisi en raison de la variété infinie de leurs formes et de leurs couleurs. Isolé ou en bouquet, stylisé ou offrant une profusion de détails, le motif floral est un thème éternel toujours renouvelé. Il constitue souvent le motif central de la décoration mais peut nourrir aussi très librement l'inspiration.

Les paysages

Les paysages fournissent également des thèmes très adaptés à la peinture sur céramique, en particulier à la décoration d'assiettes. Leur vaste éventail va du simple paysage représentant une maison et un arbre à un panorama complexe de forêts, de montagnes ou de mer.

Les motifs enfantins

Ces thèmes s'allient parfaitement aux techniques faisant appel à des bases. La raison en est claire : ce sont des sujets simples, très adaptés à cette décoration parce qu'ils sont destinés aux enfants mais aussi parce qu'il s'agit de dessins élémentaires, joyeux et faciles à reproduire.

Application

L'application des bases varie en fonction du support qui les reçoit.

Base translucide, de type aquarelle

Ces bases s'appliquent avec un pinceau à poils doux, comme les poils de martre. Il faut mélanger les couleurs entre elles et les diluer avec de l'eau, la quantité d'eau étant fonction de l'effet escompté. Ce type de peinture peut s'étendre sur de la céramique en biscuit, un engobe clair et des carreaux mats ou brillants. Dans ce dernier cas, lors du passage de la pièce au four à une température assez élevée, la couleur se fond au vitrifié du carreau. À condition de refermer hermétiquement les pots et de les entreposer la tête en bas, ces peintures se conservent bien.

Engobe

L'engobe, mélange d'eau et d'argile, s'applique à l'aide d'un pinceau ou d'une éponge, sur l'objet préalablement humidifié. La première couche d'engobe doit être mélangée à 50 % d'eau. Trois couches sont nécessaires, chacune devant être parfaitement sèche avant l'application suivante.

Aspect vitrifié

Il n'est pas nécessaire de passer du vernis sur le vitrifié. Il peut être brillant, mat, transparent, opaque, et s'étend indifféremment avec un pinceau en éventail, un pinceau épais aux poils doux ou une éponge. Trois couches sont nécessaires. On s'assurera là aussi que la couche précédente est sèche avant d'appliquer la suivante.

THÈME 11 PAS À PAS

Assiette indienne

Nous proposons de décorer cette assiette avec ce motif abstrait, inspiré d'une peinture des Indiens Hopi. Ce motif très coloré possède un sens symbolique. Comme on peut le voir, les couleurs en ont été choisies sans considération de ton ni de gamme, mais cela n'ôte rien à son esthétique.

Voici le dessin de référence…

… et le dessin simplifié qui a été décalqué sur l'assiette.

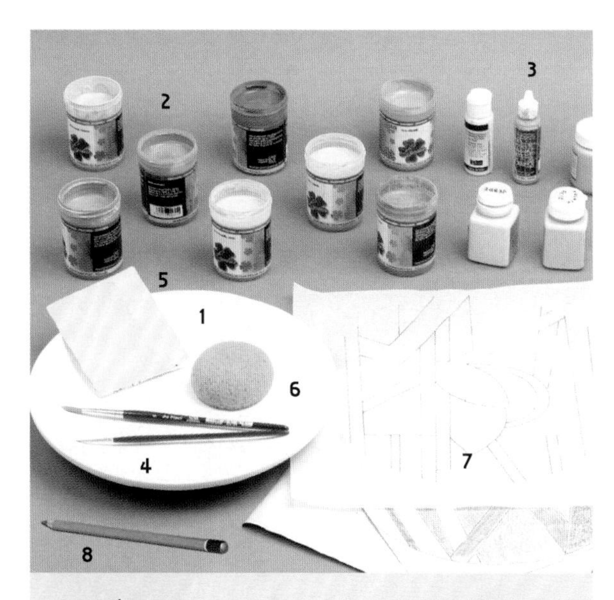

MATÉRIEL

1. Assiette en biscuit
2. Engobes : jaune, orange, vert foncé, vert clair, vert vif, bleu-vert, rouge, rose, bleu, gris, marron, marron clair, blanc
3. Peintures acryliques pour céramique : bleu, blanc cassé et marron clair
4. Pinceaux n°s 4 et 6
5. Papier de verre
6. Éponge synthétique à grain fin
7. Papier carbone
8. Crayon à papier

1 Vérifiez que l'assiette ne présente aucune aspérité. Poncez-la si nécessaire. Plus la surface sera lisse, plus réussi sera le fini et la peinture pourra être étendue avec plus de facilité.

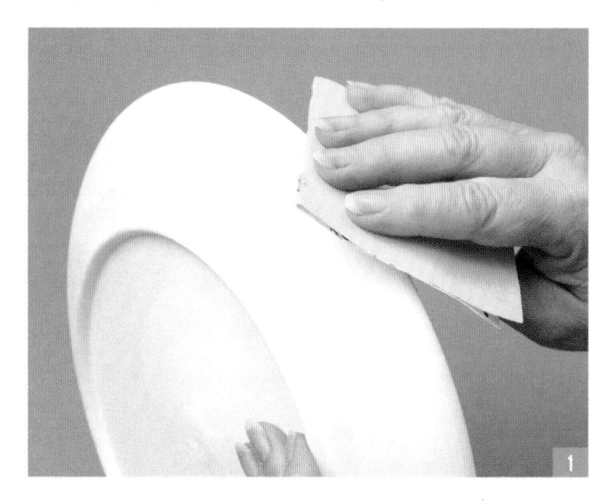

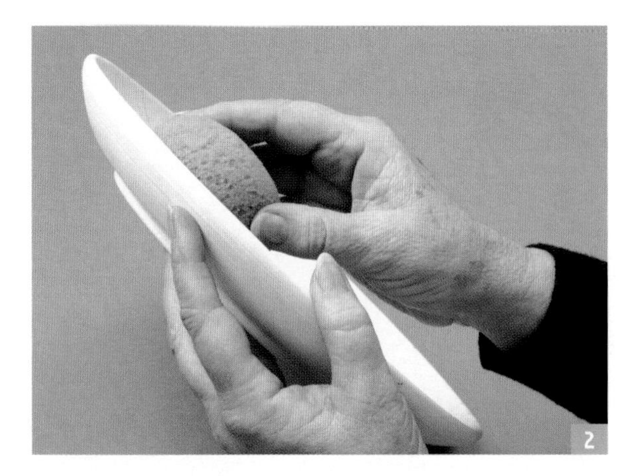

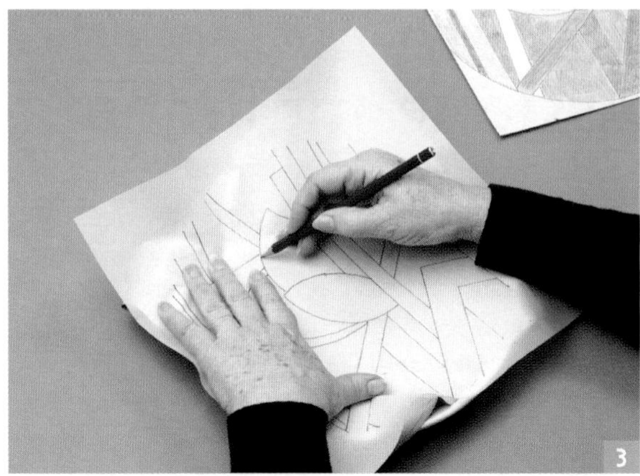

2 À l'aide d'une éponge humide, retirez la poussière ou tout autre dépôt. L'assiette doit être parfaitement propre.

3 Avant d'appliquer les couleurs, passez une éponge propre et humide sur la partie à peindre pour que les couleurs adhèrent mieux à l'objet. Ensuite, décalquez le motif sur l'assiette.

4 Passez d'abord le vert foncé en trois couches successives en vous assurant toujours que la couche précédente est sèche.

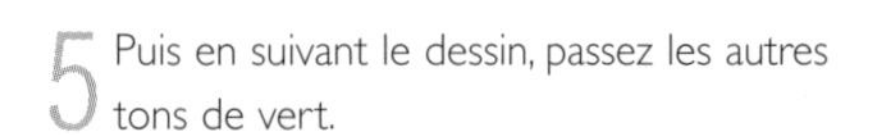

5 Puis en suivant le dessin, passez les autres tons de vert.

6 Utilisez la même méthode pour passer la couleur rouge.

7 Faites de même avec le marron.

8 Ensuite appliquez la couleur bleue. Il n'est pas nécessaire de trop charger le pinceau.

9 Passez la peinture blanche en prenant pour modèle le dessin décalqué sur l'assiette.

Il est nécessaire de passer trois couches de chacune des couleurs. Afin de faciliter le travail, on passera une première couche de chaque couleur, puis la deuxième et enfin la troisième, en passant toujours les couleurs dans le même ordre pour qu'elles aient le même temps de séchage.

10 Lorsque le blanc est sec, vous pouvez passer la peinture rose.

11 La peinture grise doit être appliquée en dernier.

L'assiette peut bien sûr être utilisée mais elle constitue surtout un bel objet de décoration.

THÈME 12

LE SGRAFFITE

Le sgraffite consiste à gratter une épaisse couche de peinture pour faire apparaître la couleur de base. Si cette opération est bien menée et suit le tracé d'un dessin, alors un motif décoratif se formera. On utilise généralement cette technique sur un objet couvert d'un engobe frais. Trois ou quatre couches d'engobe de couleur sont nécessaires pour obtenir une couche suffisamment épaisse pour se prêter à cette technique. Que l'objet soit déjà engobé ou que vous lui appliquiez un engobe, il faudra toujours le vernir.

Outils à pointe métallique
L'instrument type est une baguette de bois se terminant par une pointe métallique en forme de flèche. Mais il existe aussi des instruments en métal dont les extrémités présentent des formes variées.

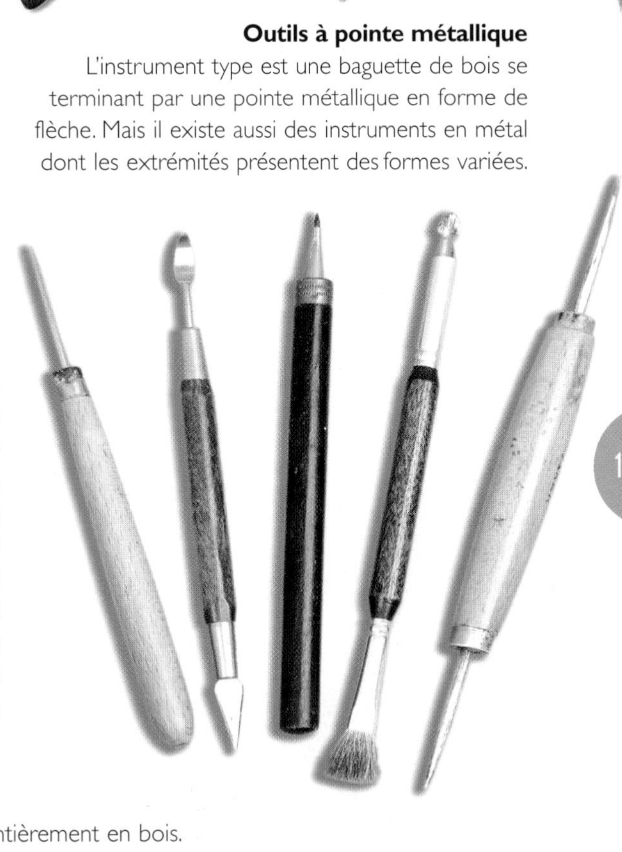

Outils

Les outils utilisés pour la technique du sgraffite diffèrent selon la matière et les caractéristiques de l'objet, et selon le motif choisi. Nous verrons au chapitre suivant le matériel le plus couramment utilisé.

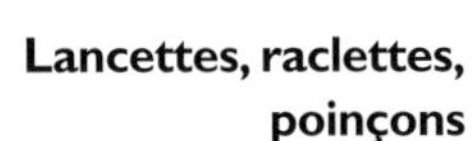

Lancettes, raclettes, poinçons
La peinture qu'il faut ôter pour réaliser le sgraffite n'oppose pas une grande résistance. L'outil utilisé dépend donc plutôt du type de sgraffite souhaité et des préférences personnelles en matière d'outils.

Outils en plastique
La vigueur de leur action se situe à mi-chemin de celle du métal et de celle du bois.

Outils en bois
Ils peuvent être entièrement en bois. Leur pointe effilée ou en forme de cuiller permet un raclage moins agressif.

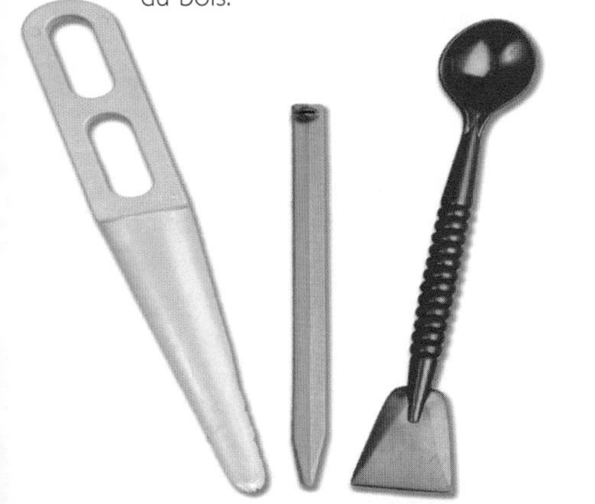

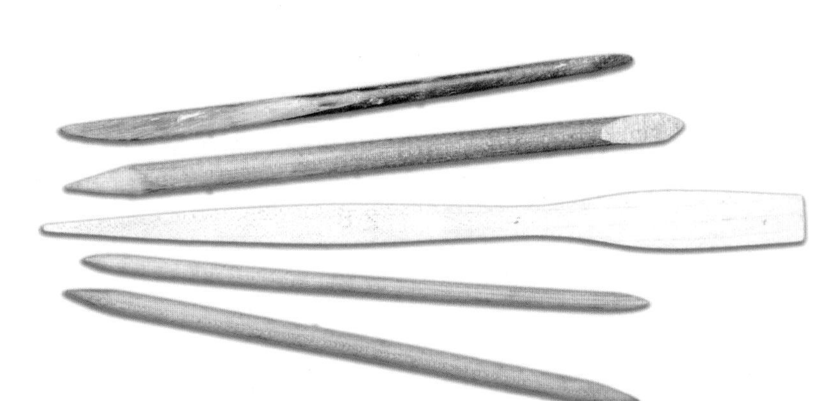

Les différents types de sgraffite

La technique du sgraffite est bien spécifique, mais selon la manière dont elle est utilisée et le motif choisi, elle offre des résultats variés.

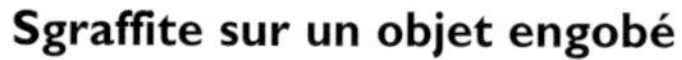

Sgraffite sur un objet engobé
On utilise le plus souvent le sgraffite sur un objet du commerce déjà engobé. On gratte alors l'engobe avec la pointe métallique de l'outil pour reproduire le motif choisi.

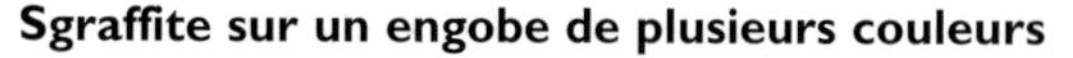

Sgraffite sur un engobe de plusieurs couleurs
Si l'objet a reçu des engobes de couleurs différentes, le fait que chacune des couleurs ait une épaisseur différente est un facteur favorable. On veillera alors à utiliser, pour chaque épaisseur, l'outil approprié.

Sgraffite sur un engobe de couleur
La technique est la même que la précédente, à la différence près que l'engobe utilisé sera certainement moins épais que celui de l'objet du commerce. Un outil en bois ou en plastique suffira donc.

Les différentes formes de sgraffite

Plusieurs effets peuvent être obtenus au moyen du sgraffite : fine ligne qui détoure un dessin, lignes suggérant des ombres, une impression de vide, etc.

La silhouette
Sur un objet engobé, le sgraffite permet de reproduire la silhouette d'un personnage, d'un objet, en en soulignant le contour, comme le fait le détourage.

Le sgraffite et la couleur
Autre possibilité du sgraffite, son emploi simultané avec la couleur. Le motif voit chacune de ses couleurs rehaussée par une ligne de sgraffite qui en trace le contour, faisant ressortir chaque élément du dessin.

Une utilisation très souple
Les deux techniques précédentes peuvent se combiner pour la décoration d'un même objet. Le sgraffite peut aussi être utilisé sur une seule partie de l'objet ou encore quitter la simplicité de la ligne pour former des motifs.

Les dessins

On choisira des motifs dont les lignes à creuser seront suffisamment espacées. Trop rapprochées, elles détérioreraient l'engobe situé entre elles.

Dessins élaborés
Avec un peu d'expérience, d'habileté et des outils adéquats, on peut réaliser des sgraffites assez complexes faisant se croiser des lignes rapprochées – au risque de retirer l'engobe en cas de fausse manœuvre.

Dessins stylisés
Il s'agit de représenter une forme au moyen d'une seule ligne. La difficulté réside dans le nombre des lignes qui seront creusées et leur proximité. Les dessins ci-contre demandent un travail relativement facile.

Dessins abstraits
Les motifs géométriques, aux lignes droites et aux courbes peu prononcées se prêtent parfaitement aux dessins abstraits. Ceux-ci permettent de combiner les espaces délimités par du sgraffite et les parties du motif dont l'engobe a été retiré.

Assiette au sgraffite

Nous vous proposons de réaliser sur une assiette engobée un motif abstrait bicolore. Chaque couleur du dessin sera cernée d'un trait en creux de même que le bord de l'assiette, pour révéler la couleur originelle de l'assiette.

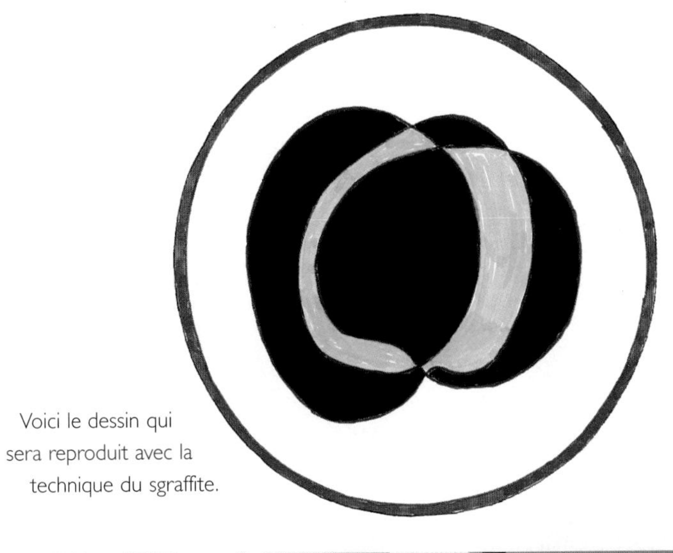

Voici le dessin qui sera reproduit avec la technique du sgraffite.

On manipulera l'assiette avec précaution : n'ayant pas reçu de cuisson, elle peut se casser très facilement.

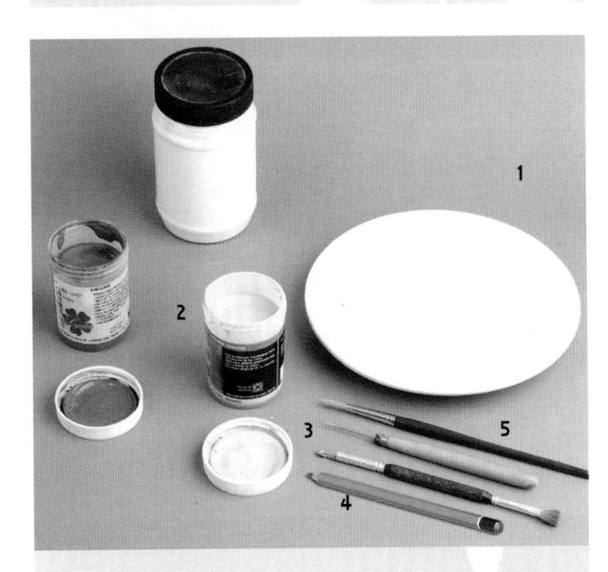

MATÉRIEL

1. Assiette engobée
2. Engobe noir, engobe vert clair
3. Poinçon
4. Pointe
5. Pinceau n° 6
6. Crayon à papier
7. Vernis

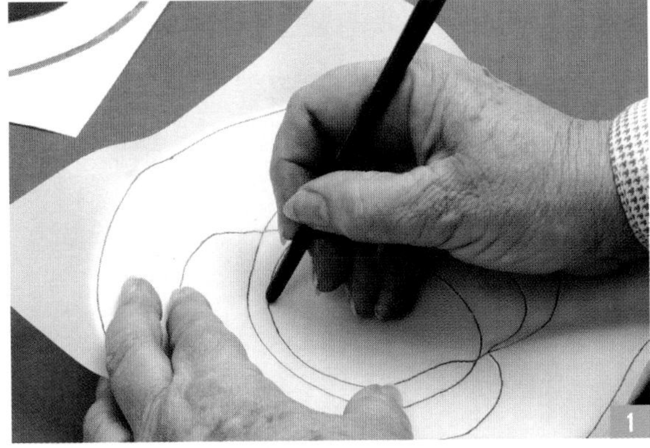

1 On ne peut décalquer un dessin au papier carbone sur un objet engobé. Le papier calque sera donc appliqué directement sur l'assiette et son motif reproduit par griffonnage à l'aide du poinçon ou de la pointe d'un stylo qui ne fonctionne plus. On veillera à ne pas trop appuyer sur le papier afin d'éviter de laisser des marques sur l'assiette.

2 Avec un crayon à papier, vous pouvez maintenant redessiner les contours du dessin décalqué pour faciliter le passage des couleurs.

3

Cette technique exige une grande minutie. Vous ne pourrez enlever la peinture qui aurait débordé des limites du dessin ou une tache qui se serait produite en cours d'exécution. Toute tentative en ce sens endommage l'engobe et fait apparaître la couleur rouge de la céramique d'origine.

3 Préparez la peinture noire et chargez-en le pinceau n° 6. Passez la première couche sur les parties de l'assiette concernées, en suivant le dessin.

4

4 Rincez soigneusement votre pinceau et chargez-le légèrement de peinture verte. Peignez les parties destinées à recevoir cette couleur.

5 Lorsque la première couche de peinture noire est sèche, appliquez la deuxième. Puis procédez de la même façon avec la peinture verte.

5

6 Passez ensuite une troisième et dernière couche pour chaque couleur en prenant soin de vérifier que la précédente est bien sèche.

7 À l'aide du poinçon sur lequel vous exercez une légère pression afin de ne pas briser l'engobe, soulignez en creux chaque ligne du dessin.

6

7

8 À l'aide d'un crayon à papier, tracez une ligne à 5 mm du bord de l'assiette. N'appuyez pas trop : l'assiette, non cuite, est fragile.

9 Avec le poinçon, creusez la ligne circulaire que vous venez de dessiner. Elle sert de limite car vous allez creuser tout le bord de l'assiette.

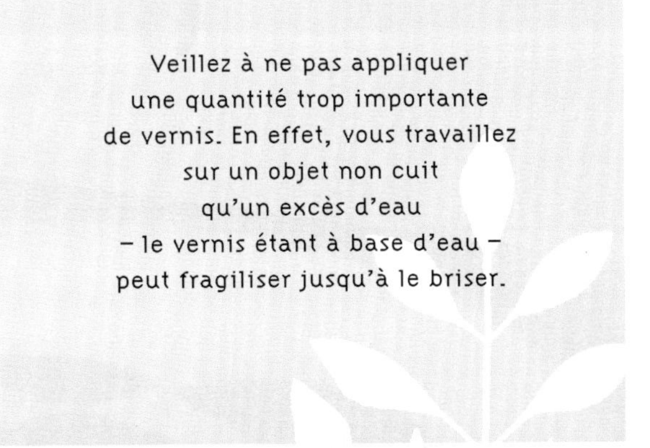

Veillez à ne pas appliquer une quantité trop importante de vernis. En effet, vous travaillez sur un objet non cuit qu'un excès d'eau – le vernis étant à base d'eau – peut fragiliser jusqu'à le briser.

10 À l'aide de la pointe, retirez tout l'engobe qui recouvre le bord de l'assiette pour faire apparaître la céramique rouge d'origine.

Lorsque la décoration est terminée, laissez sécher la peinture avant d'appliquer les deux couches de vernis.

11 Passez deux couches successives de vernis en veillant à appliquer la seconde une fois que la première est bien sèche. Pour obtenir une meilleure répartition du vernis, vous procéderez de la manière suivante : passez la première couche en allant de la droite vers la gauche, puis appliquez la seconde du haut vers le bas.

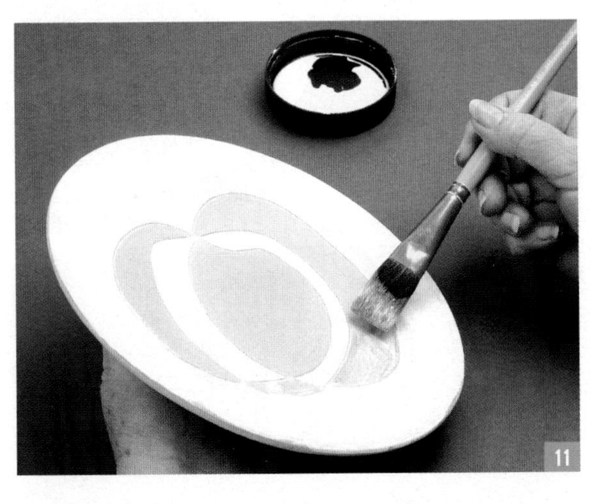

Combinée avec d'autres éléments dans la même harmonie de couleurs, cette pièce trouve naturellement sa place dans votre intérieur.

THÈME 13

PEINTURE ÉMAILLÉE À L'ÉPONGE

La technique à l'éponge est une manière facile et rapide de décorer une céramique. Bien qu'elle ne diffère pas de celle de la peinture simple à l'éponge, elle procure des finis très différents lorsque la matière couvrante appliquée est une peinture émaillée.

Les éponges

Elles jouent un rôle prépondérant dans l'effet obtenu. Leur texture et la manière dont est passée la peinture donnent à l'objet un caractère spécifique.

Éponge naturelle
Cette éponge aux grains larges et irréguliers, utilisée pour une couche unique de peinture, donne au fini un style rustique. Le passage d'une seconde couche apporte un résultat très différent.

Éponge synthétique
À la fois plus compacte et plus consistante que l'éponge naturelle, l'éponge synthétique se montre aussi plus couvrante, bien que certaines variétés d'éponges naturelles à gros grains laissent elles aussi peu de traces.

Éponge à grain fin
Une éponge à grain fin, comme les éponges à maquillage, permet de réaliser un fond lisse et sans traces.

Passage de la couleur

Avec l'éponge peuvent s'employer une ou plusieurs couleurs. Cette technique simple permet d'obtenir à elle seule des résultats très différents.

Peinture monochrome à l'éponge

Lorsqu'une couleur unique est utilisée, une seule éponge suffit pour couvrir l'objet. Mais on se gardera de passer l'éponge chargée de peinture sur la totalité de l'objet si l'on désire accentuer l'originalité de la décoration. Par exemple, les anses d'un pot ou le capuchon d'un couvercle de boîte pourront rester naturels.

Peinture bicolore à l'éponge

L'ensemble de l'objet reçoit la peinture de la couleur choisie. Puis on effectue un second passage, soit avec la même couleur mais d'un ton plus soutenu, soit avec une couleur qui contraste avec la première. Il est possible aussi de ne passer la seconde couleur que sur certaines parties de l'objet, pour les faire ressortir.

La couche de peinture précédente doit toujours être parfaitement sèche avant l'application d'une nouvelle couche.

Peinture polychrome à l'éponge

Une même couleur déclinée en plusieurs tons permet de réaliser un dégradé très agréable à l'œil. Un effet plus soutenu sera réalisé en appliquant des couleurs contrastantes.

Le fini

Le fini dépend du type d'éponge et de son mode d'utilisation.

Fini rustique
Une éponge naturelle à gros grains procure un fini irrégulier. Une éponge synthétique donnera le même effet si l'on crée, par arrachage, des trous dans sa texture.

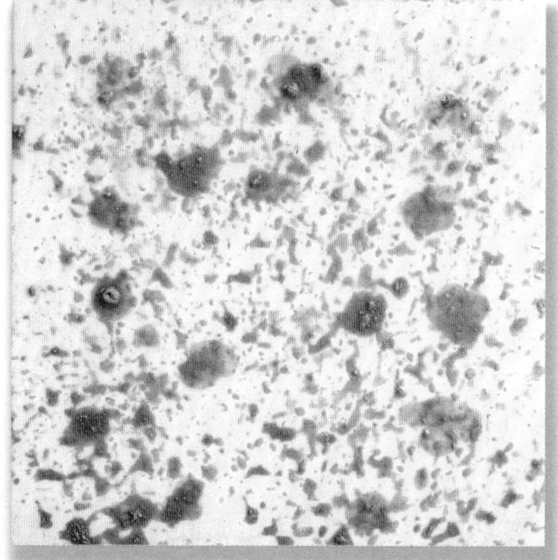

Emploi de deux éponges différentes
Passez une couche de peinture d'une couleur unique à l'aide d'une éponge à gros grains. Puis, avec une éponge à grain fin, appliquez une couleur différente sur certaines parties de l'objet.

Fini couvrant
Si vous utilisez une éponge à grain fin, la peinture sera plus couvrante et la texture conférée par l'éponge plus fine. Pour couvrir un fond, ce type d'éponge se révèle idéal. Un seul passage suffit généralement.

Le dessin

La peinture à l'éponge est par elle-même une décoration lorsqu'elle recouvre l'ensemble de l'objet. Mais elle peut venir aussi en complément d'un autre motif.

Les fonds

Sur un fond de peinture réalisé à l'éponge, il est possible de créer une silhouette, des fleurs, des paysages… La peinture peut être une base du type aquarelle sur laquelle le dessin sera exécuté avec un engobe, plus couvrant.

Les limites d'un dessin

Le fond peint à l'éponge délimite le cadre du motif : il suffit de ne pas peindre la partie où prendra place le dessin choisi.

Les réserves

Afin de mettre en valeur l'élément principal du dessin et obtenir des couleurs parfaites, les réserves réalisées, en fonction du motif, avec du ruban adhésif, du film autocollant ou du vernis de réserve ne reçoivent pas de peinture à l'éponge.

THÈME 13 PAS À PAS

Pichet
à l'éponge

Un vernis blanc mat permet d'utiliser la technique de la peinture à l'éponge avec deux couleurs voisines, c'est-à-dire appartenant à la même gamme chromatique. Dans l'exemple qui suit, nous allons décorer un petit pichet. La couleur passée avec l'éponge s'intégrera au vernis lorsque l'objet aura reçu sa cuisson.

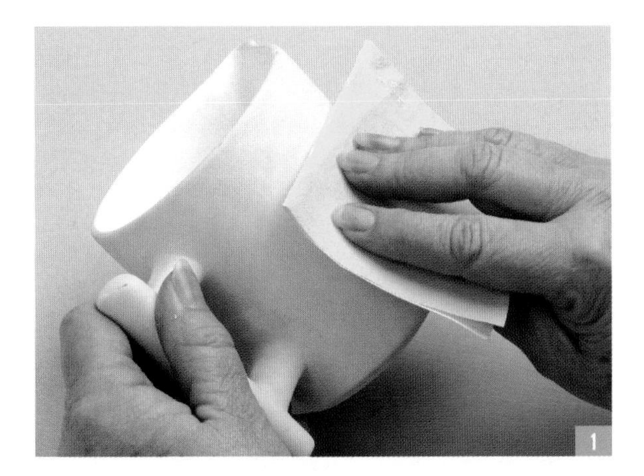

1 Tout d'abord, passez l'objet au papier de verre afin d'éliminer tout défaut et d'obtenir une surface parfaitement lisse.

MATÉRIEL

1. Petit pichet en biscuit
2. Vernis blanc opaque mat
3. Base (aquarelle) carmin
4. Base (aquarelle) rose
5. Pinceau plat à vernir, de 2 cm
6. Éponge naturelle
7. Éponge synthétique
8. Carreau en céramique en guise de palette
9. Papier de verre à grain fin

2 Retirez la poussière laissée par le polissage à l'aide d'une éponge légèrement humide.

3 À l'aide du pinceau plat de 2 cm, passez une couche de vernis à l'intérieur du pichet.

4 Toujours avec le même pinceau, vernissez l'extérieur du pichet, y compris les anses.

Trois couches de peinture
sont nécessaires
sur toute la surface du pichet.
Assurez-vous toujours qu'une couche
est bien sèche
avant de passer la suivante.

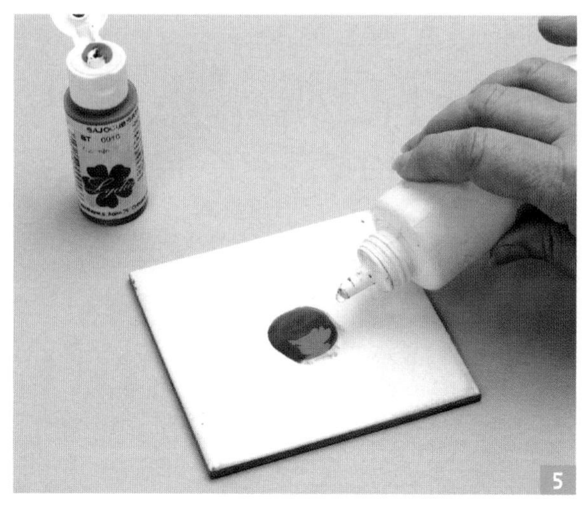

5 Versez une faible quantité de carmin sur votre palette et diluez avec quelques gouttes d'eau.

6 Imprégnez votre éponge de la peinture que vous venez de préparer et passez-la sur tout le pichet en prenant garde d'éviter les anses.

7 Lavez parfaitement l'éponge et essorez-la jusqu'à en exprimer toute l'eau.

8 Préparez la peinture rose de la même manière que la peinture carmin.

La seconde couleur ne doit pas totalement couvrir la première puisque, dans cette décoration, les deux couleurs doivent se distinguer.

9 Chargez légèrement votre éponge de peinture rose, celle-ci ne doit pas recouvrir le grain de l'éponge.

10 Passez le rose par-dessus le carmin sans peindre les anses.

Les couleurs sobres
de ce pichet s'harmonisent
avec la plupart des styles.

THÈME 14

LES RÉSERVES OU MASQUAGE

La réserve désigne la ou les parties du dessin qui ne sont pas peintes. La réserve se réalise soit en ne peignant pas la zone concernée, soit en la recouvrant avec du ruban ou du papier adhésif, de la cire ou autre matériau.

Les différentes techniques de masquage

Plusieurs techniques permettent de créer une réserve, c'est-à-dire d'empêcher la peinture de recouvrir certaines parties du motif qui doivent demeurer vierges. C'est le dessin et ses exigences spécifiques qui détermineront le choix de cette technique.

Ruban et papier adhésifs
Le ruban adhésif s'utilise principalement pour masquer les bordures ou les contours d'un objet. En revanche, le papier adhésif permet, en suivant le motif original, de créer des formes qui font office de réserve et que l'on fixe sur l'objet à décorer.

La cire
La cire s'applique à l'aide d'un pinceau. Elle se volatilise à la cuisson, il est donc inutile de l'éliminer avant de cuire l'objet.

Le vernis de réserve
Le vernis de réserve s'applique à l'aide d'un pinceau sur la partie à protéger. Lorsque la peinture a séché sur les parties mises en couleur, il est alors retiré pour laisser apparaître la partie réservée.

Les différentes formes de réserve

La forme de la partie que l'on souhaite masquer et les caractéristiques du dessin déterminent le choix de la réserve.
On étudiera donc minutieusement le style du dessin et celui de l'objet à décorer avant d'opter pour une technique de réserve.

Le médaillon

La réserve en forme de médaillon est très souvent utilisée pour protéger une partie que l'on décorera par la suite. On applique alors une bordure d'environ un centimètre de large à l'intérieur de la partie que l'on veut réserver, afin de ne pas la salir lorsque l'on peindra l'objet.

Formes simples

Sur un fond monochrome, il est très facile de reproduire des formes géométriques blanches ou d'une couleur qui s'harmonise avec celle du fond. Il suffit de découper la forme désirée dans le papier adhésif et de la disposer à l'endroit voulu, créant ainsi une réserve.

Petites réserves

Lorsque le décor exige que de petites zones ne soient pas peintes, des techniques de masquage permettent d'empêcher que la peinture ne s'y dépose et n'abîme le motif.

Les avantages de la réserve

La réserve ne sert pas seulement à préserver une partie qui n'est pas à peindre. Elle s'emploie aussi pour masquer un motif qui est déjà peint. La réserve est très fréquemment utilisée en peinture sur céramique.

Protection d'un dessin
Pour ne pas endommager une partie du dessin déjà décorée, il suffit de la recouvrir de vernis de réserve. Elle ne recevra ainsi aucune éclaboussure de peinture. Cette méthode permet de travailler en toute liberté.

Protection de lignes
Lorsqu'une décoration sur céramique comporte des lignes blanches, ces dernières ont été créées au moyen de réserves. Pour des lignes assez larges, le ruban adhésif convient, tandis que des lignes plus fines seront exécutées avec du vernis de réserve appliqué au pinceau.

Protection d'un motif récurrent
Les réserves permettent de reproduire facilement le même motif sur un même objet. Si l'on souhaite, par exemple, reproduire un motif à pois, il suffit de recouvrir de vernis de réserve les petits cercles qui représentent les pois. Appliqué en fine couche, le vernis de réserve permet de peindre le reste de la décoration en toute tranquillité.

La réserve et ses utilisations

Il existe plusieurs manières d'utiliser les techniques de masquage. La réserve peut, selon le cas, protéger une partie qui n'est pas à peindre ou une partie déjà décorée.

Réserve du fond
Dans certains cas, le motif est peint avant le fond. On le recouvrira alors d'une couche de vernis de réserve, ce qui permettra de réaliser le fond sans endommager le dessin.

Réserve blanche
Une fois la pièce entièrement peinte, vous pouvez retirer la réserve qui fera alors apparaître en blanc la partie du dessin qu'elle recouvre.

Réserves spéciales
La cire masque les parties de la décoration qui ne sont pas vernies. On peut appliquer directement la cire sur le biscuit ou encore la passer directement sur une couleur. La cire se volatilise à la chaleur du four et restitue un aspect naturel, non vitrifié, à la partie réservée.

THÈME 14 PAS À PAS

Boîte décorée
avec réserve

Dans ce chapitre, nous allons décorer une boîte avec un engobe de couleur sombre. Le couvercle porte le dessin d'une fleur. La réserve au vernis de réserve nous permettra de le réaliser.

Voici le dessin représenté sur le couvercle de la boîte.

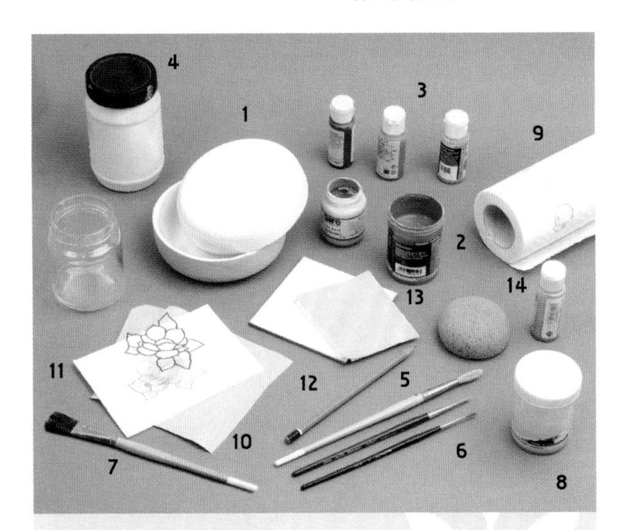

MATÉRIEL

1. Boîte en biscuit
2. Engobe vert foncé
3. Peintures à l'eau : vert clair, vert foncé, carmin, rose et noir
4. Vernis transparent
5. Pinceau n° 14 pour passer l'engobe
6. Pinceaux nos 2 et 4 pour les peintures à l'eau
7. Pinceau plat de 2 cm pour étendre le vernis
8. Vernis de réserve
9. Papier absorbant
10. Papier carbone
11. Papier calque
12. Crayon à papier à mine dure
13. Papier de verre
14. Éponge

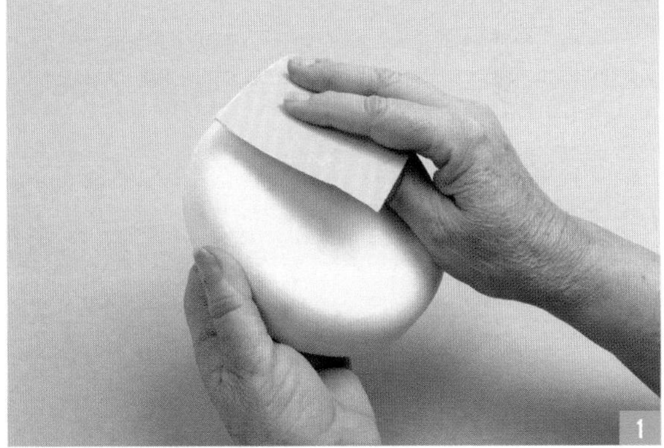

1 Poncez la boîte en biscuit, avec du papier de verre si besoin est.

2 Retirez toute trace de poussière à l'aide d'une éponge humide. Le fait d'humidifier la céramique n'est pas une gêne puisque l'on travaille avec des peintures à l'eau. L'utilisation de peintures à l'eau, ici, représente d'ailleurs un avantage.

3

3 Passez maintenant deux couches de vernis transparent à l'intérieur de la boîte et du couvercle, pour que l'objet soit parfaitement recouvert.

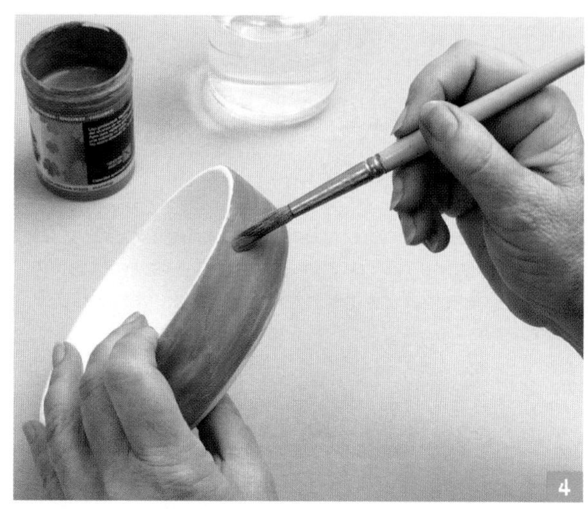
4

4 Peignez en vert foncé l'extérieur de la boîte. Trois couches sont nécessaires pour le recouvrir parfaitement. Attendez que la couche précédente soit sèche avant de passer la suivante.

5

5 Vous avez préalablement reproduit le motif sur le papier calque. Placez maintenant ce dernier sur le papier carbone appliqué sur le couvercle. Décalquez le dessin sur le couvercle.

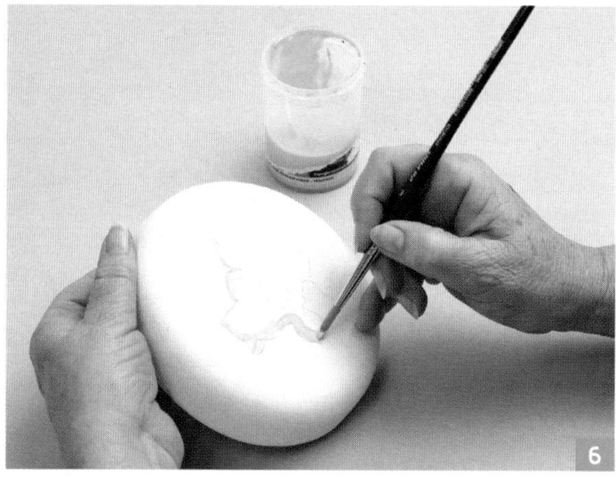
6

6 À l'aide de votre pinceau chargé de vernis de réserve, tracez une bordure d'environ un centimètre de large autour du dessin pour pouvoir peindre le reste du couvercle sans risque de salir le motif floral.

Nettoyez soigneusement le pinceau avec lequel vous avez appliqué le vernis de réserve. Dans le cas contraire, les poils durciraient et votre pinceau deviendrait inutilisable.

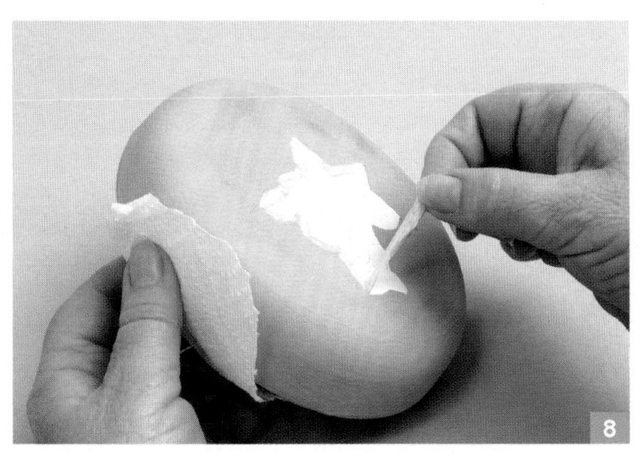

7 Avec le pinceau n° 14, passez successivement trois couches de peinture vert foncé sur le reste du couvercle, en prenant toujours soin de laisser sécher la couche précédente avant d'appliquer la suivante.

8 Assurez-vous que la peinture verte est totalement sèche. À l'aide d'un instrument pointu, vous allez retirer la couche de vernis de réserve. C'est une opération délicate, au cours de laquelle vous veillerez à ne pas érafler la peinture verte appliquée sur le couvercle.

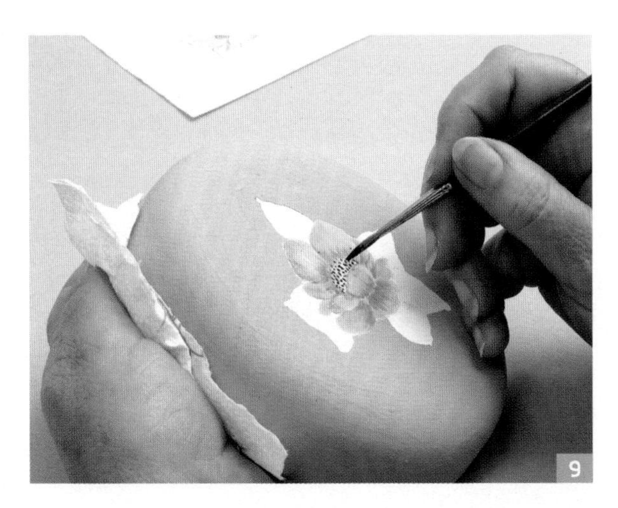

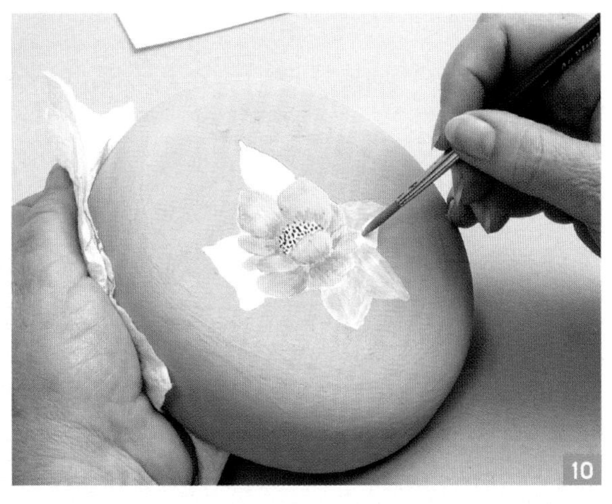

9 Vous pouvez maintenant peindre les pétales en rose, les ombres en carmin et les étamines en noir.

10 Peignez en vert clair les feuilles. La nervure centrale des feuilles sera représentée en vert foncé.

11 Pour terminer, lorsque la boîte est entièrement sèche, recouvrez-la de deux couches de vernis. Avec les précautions habituelles : vérifiez que la première couche est parfaitement sèche avant de passer la seconde. Laissez sécher votre boîte pendant 24 heures avant de la placer dans le four à céramique à la température de 1 020 °C.

Voici une boîte décorative qui conserve toute sa fonctionnalité, dans laquelle vous glisserez bijoux et babioles.

THÈME 15

LES GLAÇURES

Les glaçures sont le plus souvent appelées émaux, vernis ou glacis et désignent la mince couche de verre qui recouvre les objets en céramique. Leur caractéristique est de fondre lors de leur passage au four, recouvrant alors l'objet d'une couche vitrifiée. Les vernis et les émaux constituent les deux principales catégories de glaçures.

Les vernis

Ils forment une couche imperméable transparente, très plombifère, qui protège la peinture sur céramique appliquée antérieurement.

Vernis satiné

C'est un vernis transparent car il ne modifie pas la couleur d'origine de la peinture tout en lui donnant un aspect mi-brillant, mi-mat. Il est possible d'utiliser une peinture à l'eau par-dessus ce vernis.

Vernis incolore mat

Bien que transparent, ce vernis confère à la peinture sur laquelle on l'applique un aspect laiteux qui peut en modifier le ton. C'est pourquoi on ne pose qu'une seule couche de ce vernis.

Vernis incolore brillant

Ce vernis transparent donne un aspect brillant à l'objet en respectant sa couleur.

Les émaux

La richesse de cette gamme de glaçures permet les décorations les plus variées. Les émaux, en effet, qu'ils soient transparents, opaques ou brillants, existent en plusieurs couleurs.

Émail transparent brillant
Ces émaux aux teintes variées peuvent être appliqués sur des argiles non cuites ou sur du biscuit. Toutefois, étant transparents, ils ne peuvent s'utiliser sur une argile rouge, qu'ils ne couvriraient pas. On recouvrira donc, au préalable, l'objet d'un engobe.

Émail opaque brillant
Cet émail possède un fort pouvoir couvrant et donne à l'objet un aspect brillant. Il s'applique, de préférence, sur une argile rouge et existe en plusieurs couleurs qui se mélangent entre elles. On peut utiliser, par-dessus cet émail, aussi bien des peintures à l'eau que des engobes, ou s'en servir comme d'une base pour appliquer des métaux précieux.

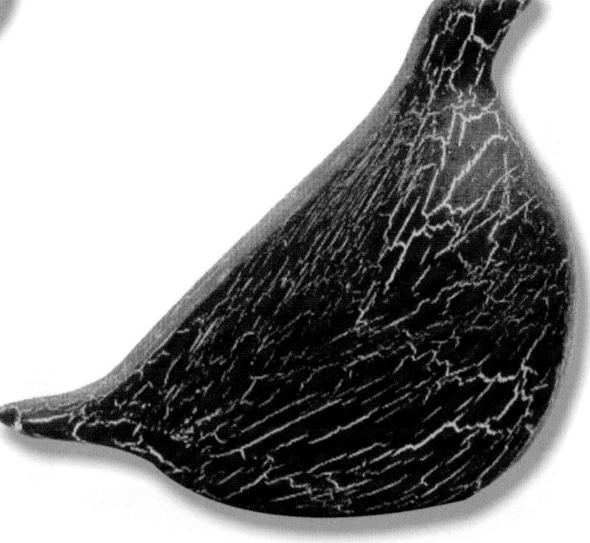

Les craquelés
La particularité de ces émaux brillants et transparents est de se craqueler au sortir du four. Il s'agit de craquelures infimes, peu visibles à l'œil nu. Mais une fois recouvertes d'une fine couche de peinture, elles se révèlent et donnent à l'objet un aspect très séduisant.

Émaux spéciaux

Les magasins spécialisés proposent un vaste choix d'émaux aux propriétés différentes et réagissant différemment à la cuisson. Ces peintures émaillées, appelées « émaux spéciaux », permettent de réaliser d'autres styles de décoration.

Les rouges

Les couleurs rouges contiennent du cadmium et du sélénium qui peuvent altérer d'autres couleurs. On ne doit pas les cuire en même temps que des objets peints en jaune ou orange, car sur ces derniers, des taches noires apparaîtraient.

Les orange

L'orange ne supporte pas une température supérieure à 1 020 °C. On s'assurera au préalable que le four est parfaitement propre, sans aucune trace d'autres produits vitrifiants, de manière à éviter toute altération de la couleur pendant la cuisson.

Les jaunes

Cette couleur peut se dégrader pendant la cuisson lorsqu'elle est placée près d'objets peints avec des émaux contenant des métaux, ou d'émaux de couleur noire ou vert sombre.

Pour éviter que les couleurs ne s'altèrent mutuellement à la cuisson, on disposera dans le compartiment inférieur du four les objets de couleur rouge, orange et jaune, et, à l'étage supérieur les objets comportant les couleurs noires, vertes et métallisées.

Autres émaux

Une grande diversité préside au travail des émaux, qui ne connaît aucun procédé infaillible. Chaque type d'émail possède ses propres caractéristiques et ses procédés spécifiques. Ce qui fonctionne pour l'un n'est pas forcément indiqué pour un autre.

L'émail métallisé à refroidissement normal

Ce type d'émail, comme leur nom l'indique, donne à l'objet décoré un aspect métallique. Quatre ou cinq couches superposées sont nécessaires pour obtenir cet effet. L'aspect doré et brillant que revêt alors l'objet rappelle celui de l'or vieilli.

L'émail métallisé à refroidissement rapide

Comme pour le précédent, on appliquera quatre ou cinq couches d'émail avant de placer la pièce au four à une température comprise entre 1 020 °C et 1 100 °C. Ce type d'émail est dit à refroidissement rapide car, dès la cuisson terminée, on entrouvre la porte du four pour accélérer le refroidissement et accentuer l'effet métallisé.

Les patines

Les patines sont des émaux utilisés pour mettre en valeur le relief d'un motif ou vieillir un objet. On applique l'émail choisi à l'aide d'une éponge humide sur l'ensemble de la pièce, puis on le retire des parties en relief. L'émail se dépose alors dans les creux et les angles faisant ressortir motifs ou détails.

Vase décoré
d'émaux superposés

Combiner des émaux pour obtenir des harmonies est une des plus belles décorations qui soient. Le jeu des superpositions permet de réaliser des objets réellement séduisants.

1 Commencez par poncer le vase afin d'éliminer toute imperfection pour le rendre parfaitement lisse.

1

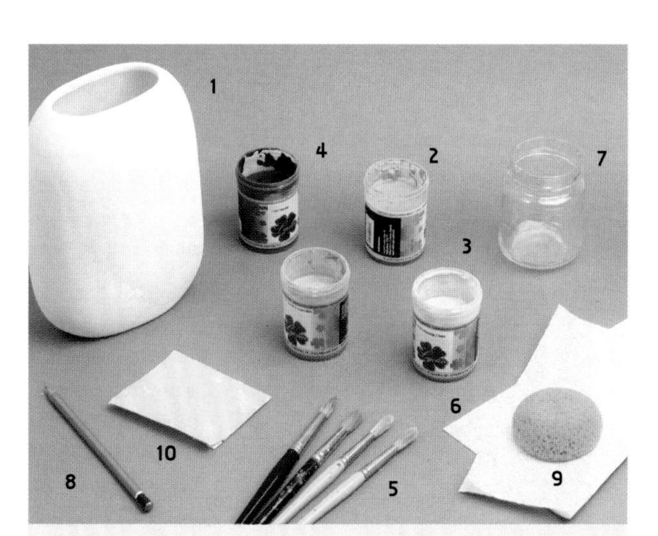

MATÉRIEL

1. Vase en biscuit
2. Peinture émaillée métallisée
3. Peinture émaillée transparente et brillante de couleur orange
4. Peinture verte émaillée avec cristaux de verre
5. 4 pinceaux n° 14
6. Papier absorbant
7. Récipient pour l'eau
8. Crayon à papier
9. Éponge
10. Papier de verre

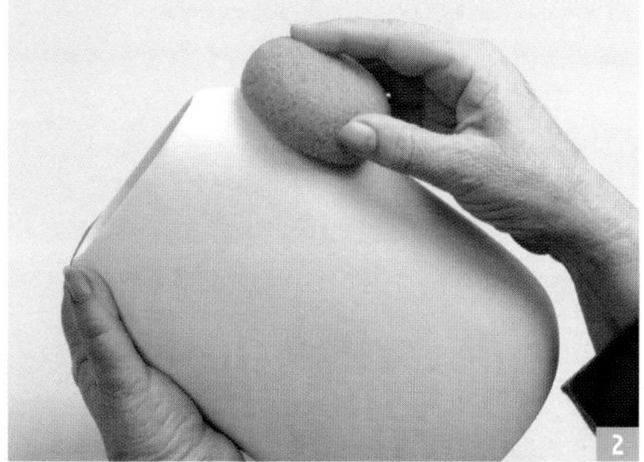
2

2 Avec l'éponge légèrement humidifiée, ôtez la poussière créée par le ponçage.

3 Sur la partie supérieure du vase, tracez au crayon à papier une ligne délimitant la zone sur laquelle vous allez étendre la peinture émaillée.

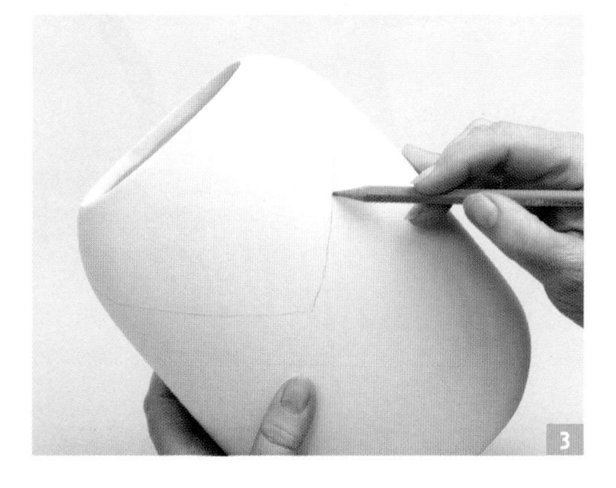
3

4 Préparez les couleurs que vous passerez successivement. Puis, sur une large bande qui borde la partie supérieure du col, appliquez la peinture émaillée métallisée à l'intérieur du vase.

5 À l'extérieur, sur la partie supérieure du vase délimitée par le trait, appliquez une première couche de peinture émaillée métallisée. Passez de préférence le pinceau de haut en bas, en laissant mourir le tracé sur celui du crayon.

6 Sur la partie inférieure du vase, en remontant jusqu'à rejoindre l'émail déjà en place, appliquez une nouvelle couche de peinture émaillée métallisée.

7 Passez maintenant une deuxième couche de peinture émaillée métallisée sur la partie supérieure du vase.

8 Appliquez, sur la partie inférieure, la première couche de peinture émaillée orange. Laissez-la sécher avant la deuxième couche.

Les différentes peintures émaillées des parties supérieure et inférieure se confondent sur la ligne dessinée au crayon à papier. Les couleurs peuvent se superposer.

9

9 Puis appliquez la troisième couche de peinture émaillée métallisée sur la partie supérieure.

11 Appliquez la quatrième couche de peinture émaillée métallisée sur la partie supérieure.

10

10 Sur la partie inférieure, passez maintenant deux couches de peinture verte émaillée contenant des cristaux de verre.

12

12 Sur la partie inférieure du vase, passez la dernière couche de peinture émaillée orange.

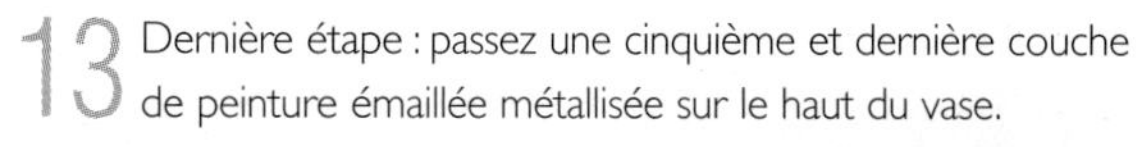

13 Dernière étape : passez une cinquième et dernière couche de peinture émaillée métallisée sur le haut du vase.

11

13

Objet décoratif
de caractère,
ce vase retrouve
une fonctionnalité
avec aisance.

LES DIFFÉRENTES CARACTÉRISTIQUES DES ÉMAUX

On le sait, aucune règle générale ne s'applique à la peinture émaillée. Celle-ci se pose, se combine et se cuit en fonction de ses composants spécifiques et sa palette est vaste.

Les réactifs

Ces émaux aux couleurs assez vives se modifient durant la cuisson et peuvent se mélanger entre eux. On en appliquera quatre couches sur l'objet à décorer pour obtenir le résultat souhaité.

Réactifs avec cristaux de verre
La texture de ces émaux contient des cristaux de verre qui fondent lors de la cuisson, produisant des effets particuliers.

Réactifs brillants avec cristaux de verre
Ces émaux se distinguent des précédents par leur brillant et la petitesse de leurs cristaux de verre. Trois couches sont nécessaires pour obtenir l'effet recherché.

Réactifs mats
Ces émaux mats contiennent des cristaux de verre qui brillent lors de leur étalement sur la céramique. Après quatre ou cinq couches, et après cuisson, les cristaux de verre forment avec l'émail qui les contient un contraste très attrayant.

Les variétés d'émaux

La gamme des émaux est très étendue et, bien que leurs caractéristiques semblent parfois identiques, une légère différence dans leur composition modifie leur comportement, et leur fait produire un résultat différent.

Les émaux à effets de matière

L'émail choisi pour cette assiette comporte des grains de sable très fins qui donnent un aspect rugueux à l'objet décoré. Plusieurs couches successives de ce type de peinture émaillée accentuent cet aspect rugueux. Toutefois, quatre ou cinq couches sont souvent nécessaires pour parvenir à l'effet attendu.

La peinture de texture mate

Après passage au four, elle donne un aspect mat sur lequel brillent des particules de verre. Trois couches sont nécessaires pour obtenir ce résultat. La température de cuisson se situe entre 1 020 ° et 1 100 °C.

Après usage, un nettoyage soigneux du pinceau à l'eau savonneuse le débarrassera des grains de sable qui se sont logés dans ses poils.

Conseil pour décorer une boîte : Le corps de la boîte recevra, par exemple, une peinture émaillée à effets de matière et le couvercle une peinture émaillée lisse et brillante. Le contraste obtenu est très attrayant.

La peinture de texture brillante

Cette peinture émaillée comporte de fins cristaux de verre qui brillent sur un fond d'émail lui-même utilisé comme base.

Alliances d'émaux

Les émaux de même sorte peuvent se combiner entre eux ou avec des émaux de catégories différentes. Ces combinaisons sont trop nombreuses pour être toutes énumérées ici, aussi ce chapitre ne présentera-t-il que les plus courantes.

Superposition de peintures émaillées de gamme similaire
Les peintures émaillées transparentes et brillantes peuvent se mélanger entre elles pour donner des tons différents ou créer une déclinaison de couleurs dans des gammes de tons différentes. Directement appliquées sur l'argile, ces peintures transparentes ne la recouvrent pas.

Mélange de plusieurs peintures émaillées
Bien que n'appartenant pas à la même catégorie, certaines peintures émaillées peuvent s'allier. On accordera une attention particulière à leur choix et à leur combinaison, car elles peuvent avoir des comportements différents. Ainsi, l'on associera des émaux réactifs et des émaux brillants, opaques ou transparents, ainsi que des engobes réactifs satinés qui, eux, ne sont pas des peintures émaillées.

Les peintures émaillées utilisées comme base
Les peintures émaillées opaques et mates peuvent servir de base sur une céramique en majolique décorée avec des engobes et des peintures à l'eau.

Application et cuisson

De la peinture émaillée choisie dépendent le nombre de couches à appliquer et la température du four.

Combien de couches faut-il appliquer ?

En règle générale, une seule couche suffit. Mais selon l'émail choisi, quelquefois, il faut appliquer deux couches pour fixer la couleur. En réalité, il n'est pas rare que l'on passe trois ou quatre couches pour parvenir à l'effet souhaité. Une cinquième couche s'avère même nécessaire dans certains cas pour obtenir le maximum d'effet de l'émail utilisé.

La température du four

La température du four varie de 600 ° à 1 435 °C, en fonction de l'émail utilisé. Selon le résultat recherché, une même peinture émaillée peut être cuite à des températures différentes.

Cônes Seger (Europe)		Cônes Orton (États-Unis)	
N°	Température °C	Température °C	Température °F
022	600	600	1112
021	650	614	1137
020	570	635	1175
019	690	683	1261
018	710	717	1323
017	730	747	1377
016	750	792	1458
015a	790	804	1479
014a	815	838	1540
013a	835	852	1566
012a	855	884	1623
011a	880	894	1641
010a	900	894	1641
09a	920	923	1693
08a	940	955	1751
07a	960	984	1803
06a	980	999	1830
05a	1000	1046	1915
04a	1020	1060	1940
03a	1040	1101	2014
02a	1060	1120	2048
01a	1080	1137	2079
1a	1100	1154	2109
2a	1120	1162	2124
3a	1140	1168	2134
4a	1160	1186	2167
5a	1180	1196	2185
6a	1200	1222	2232
7	1230	1240	2264
8	1250	1263	2305
9	1280	1280	2336
10	1300	1305	2381
11	1320	1315	2399
12	1350	1326	2419
13	1380	1346	2455
14	1410	1366	2491
15	1435	1431	2608

Où placer les objets dans le four ?

À l'intérieur du four, la température n'est pas homogène. Chacun sait que la chaleur monte. Les objets placés dans le compartiment supérieur du four recevront donc plus de chaleur que ceux disposés dans le compartiment inférieur.

Carafe
à lignes ondulées

On appliquera successivement sur l'objet des peintures émaillées qui dessineront des lignes ondulées. Étendues à l'aide d'une éponge, ces peintures créent des effets moirés.

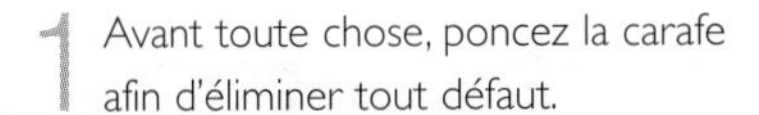

1 Avant toute chose, poncez la carafe afin d'éliminer tout défaut.

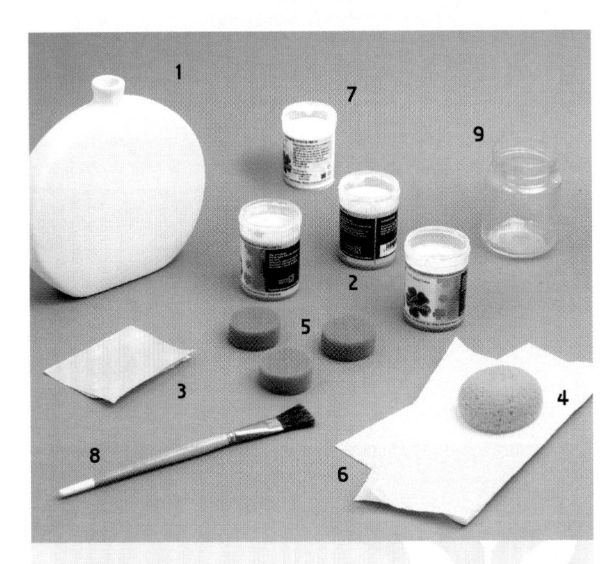

MATÉRIEL

1. Carafe en biscuit
2. Peintures émaillées transparentes : orange clair, mauve clair et rose
3. Papier de verre
4. Éponge pour nettoyer
5. 3 éponges pour appliquer chacune des peintures émaillées
6. Papier absorbant
7. Vernis transparent
8. Pinceau large à poils doux
9. Récipient pour l'eau

2 Passez une éponge humide sur l'objet pour ôter toute trace de poussière.

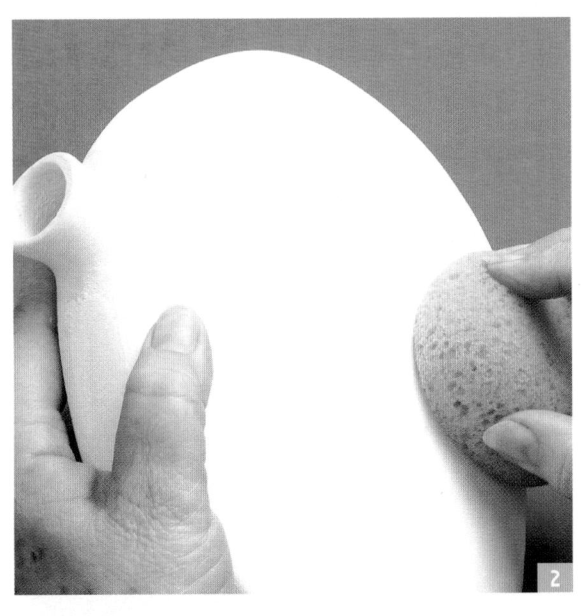

N'oubliez pas que la première condition pour réussir votre peinture sur céramique est de disposer de pièces parfaitement nettoyées et débarrassées de toute trace de poussière, de saleté ou de graisse.

3

3 Versez maintenant un peu de vernis transparent à l'intérieur de la carafe et appliquez-le sur les parois internes du col à l'aide du pinceau large à poils doux.

4

4 Agitez vigoureusement les pots de peinture émaillée pour les rendre homogènes ou remuez-en le contenu avec un bâtonnet en plastique ou en bois. Versez ensuite chacune de ces peintures dans un couvercle différent.

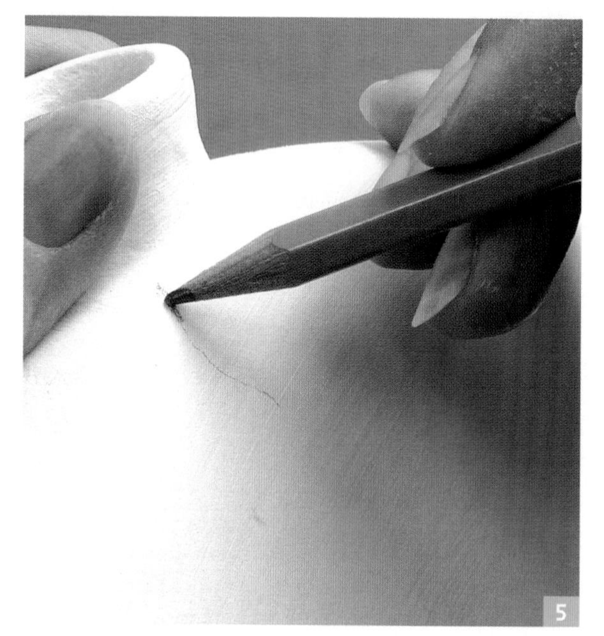

5

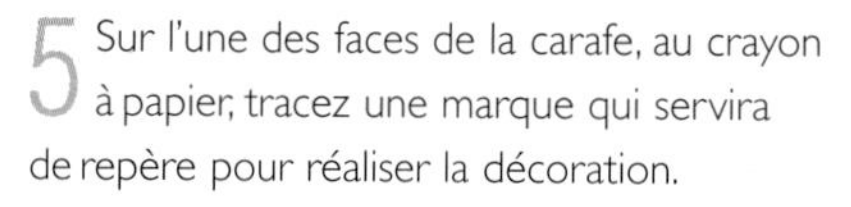

5 Sur l'une des faces de la carafe, au crayon à papier, tracez une marque qui servira de repère pour réaliser la décoration.

6

6 Chargez généreusement l'éponge de peinture émaillée orange, puis étendez-la dans le sens vertical tout en dessinant une ligne ondulée.

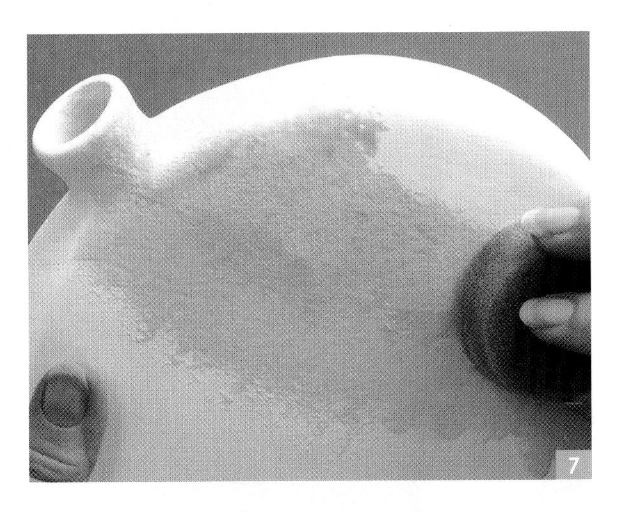

7 Répétez la même opération que précédemment, mais cette fois avec la couleur mauve clair que vous appliquez à côté de la bande orange. Les lignes peuvent se chevaucher légèrement.

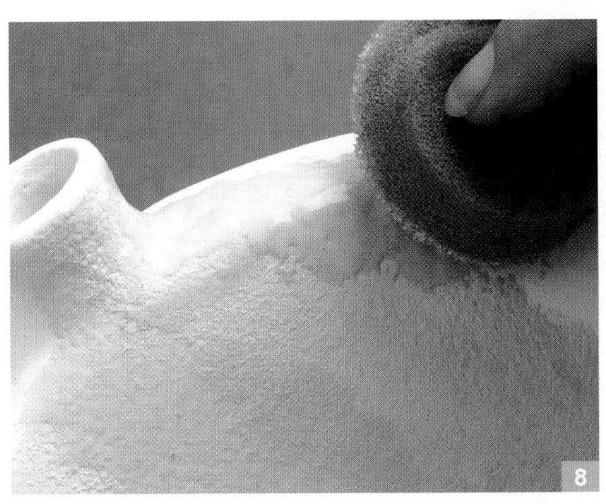

8 Procédez de la même façon pour la troisième couleur, le rose.

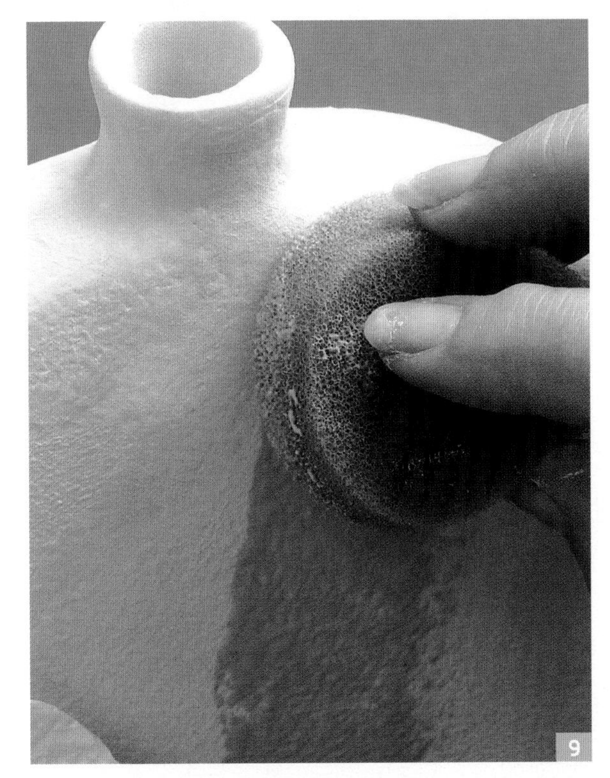

9 Répétez l'opération en alternant les couleurs jusqu'à ce que la carafe soit entièrement recouverte.

10 Pour respecter l'harmonie des couleurs, nous suggérons de les appliquer dans l'ordre suivant : orange, mauve clair, rose ; mauve clair, orange, rose ; mauve clair, orange, rose, et ainsi de suite. Chaque couleur devra recevoir trois couches de peinture.

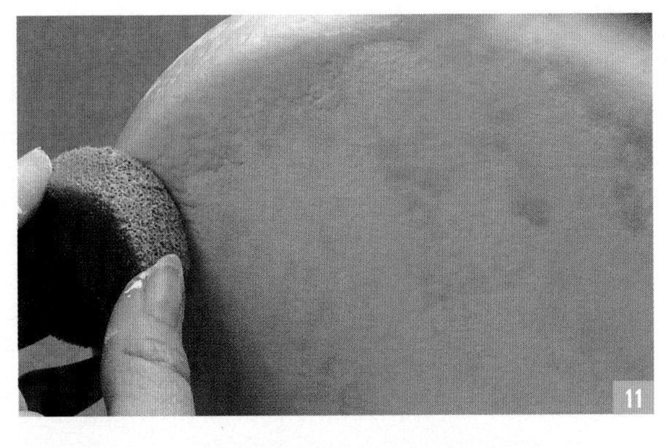

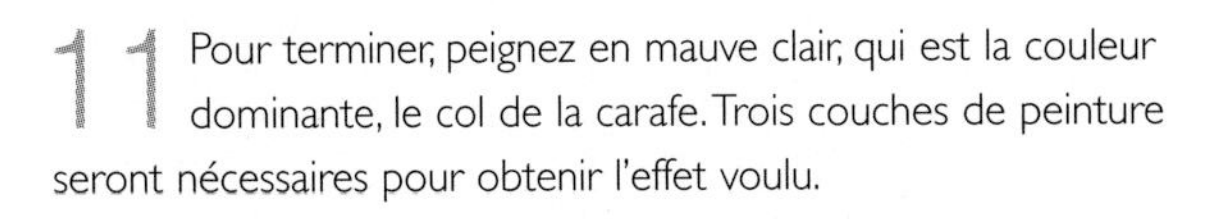

11 Pour terminer, peignez en mauve clair, qui est la couleur dominante, le col de la carafe. Trois couches de peinture seront nécessaires pour obtenir l'effet voulu.

Bien que décoré de
façon abstraite, ce vase
se marie très bien avec
un meuble ancien.

THÈME 17

LA MAJOLIQUE

Le type de céramique

La majolique est une céramique particulière recouverte d'un vernis contenant de l'étain - ou vernis stannifère. Elle forme la matière de bibelots, d'articles de vaisselle, d'assiettes décoratives, etc.

Carreau catalan en céramique représentant des danseurs (XVIIIe siècle), Musée de la Céramique, Barcelone.

L'origine du nom

Le mot « majolique » vient de l'île de Majorque (it. Majolica), où était produit ce type de céramique selon la tradition hispano-mauresque. Dès l'époque médiévale, l'île de Majorque était devenue le principal exportateur de céramique.
Le mot « faïence » vient de la ville italienne de Faenza, très connue aux XVe et XVIe siècles pour sa céramique. Lorsque l'on commença en France à fabriquer cette céramique, on l'appela faïence, en hommage à la ville italienne.

La majolique de nos jours

Tout objet de faïence présentant un vernis stannifère sur un fond blanc opaque et dont le décor est ensuite appliqué peut aujourd'hui se présenter sous le nom de majolique. Le nom, dans son acception actuelle, concerne le seul procédé de fabrication.

Source d'Antonibon (XVIIIe siècle).

Bibelot (fin du XVIIIe siècle), Victoria & Albert Museum, Londres.

Le rayonnement de la majolique

Par la simplicité de sa composition et son attrait artistique, la majolique a connu une grande expansion en Europe. Elle s'est développée surtout à partir du XVe siècle et a donné naissance à une vaste gamme d'objets en céramique.

Assiette de Deuta (XVIe siècle).

Un brillant imité

L'Europe chercha à reproduire le brillant de ces céramiques sans y parvenir parfaitement. Des différentes tentatives qui furent alors menées a subsisté une céramique connue aujourd'hui sous le nom de majolique.

Assiette de Caffaggiolo (XVIe siècle).

Les origines de la majolique

La première fabrique se trouvait à Faenza, près de Bologne, en Italie. Là furent créées les premières céramiques poreuses recouvertes d'un vernis au plomb et à l'étain qui alimentèrent l'Europe en assiettes, plats décoratifs, carreaux décorés et autres objets d'agrément.

Assiette décorée d'un blason épiscopal (XVIe siècle).

L'essor de la majolique

La grande valeur artistique de cette céramique a de tout temps été reconnue. Mais c'est au cours des vingt dernières années du XVIe siècle que furent créées les pièces maîtresses de la majolique italienne.

La majolique en Europe

La majolique remporta les suffrages de l'Europe entière au point que, très vite, les fabriques de Faenza ne suffirent plus à satisfaire la demande.

Jarre en grès, fabrique de Raeren, Belgique (XVIIe siècle).

La fabrication en Allemagne
La production de majolique atteignit dans ce pays une telle qualité qu'elle fit rapidement concurrence à celle qui était fabriquée en France. Fabriquées avec une argile tendre, opaque et couverte d'un émail stannique, les majoliques allemandes sont très réputées.

La majolique Delfware
À la fin du XVIIe siècle, l'Angleterre fabriquait de la majolique en de nombreux points de son territoire. L'influence de la majolique hollandaise de Delft y était telle que la majolique anglaise fut appelée Delfware.

Assiette de Wedgwood (1930).

La majolique de Delft
Au XVIIe siècle, la Hollande devint un important centre de fabrication de céramiques inspirées des porcelaines chinoises, au décor bleu sur fond blanc. Les majoliques hollandaises sont encore très réputées de nos jours.

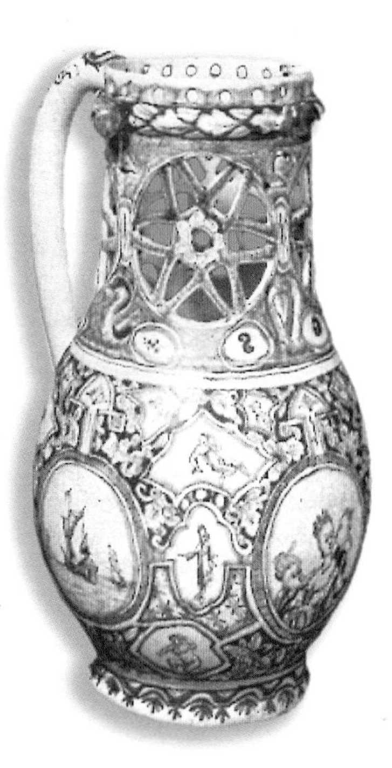

Carafe en porcelaine hollandaise, Griektsche (1724).

Les majoliques actuelles

Aujourd'hui, les céramiques européennes sont appelées faïences. Curieusement, l'appellation majolique, au sens historique, fait désormais référence à la faïence italienne de la Renaissance, notamment celle produite par les manufactures de Faenza.

Fonts baptismaux en majolique, Muel, Espagne (XVIIIe siècle).

Qu'est-ce que la majolique ?
Son matériau de départ est un biscuit créé à partir d'une argile blanche et tendre, que l'on recouvre ensuite d'un vernis opaque blanc, décoré avant d'être cuit.

Cafetière en majolique, Naples (XVIIIe siècle).

Sa fabrication actuelle
La majolique se fabrique un peu partout dans le monde, selon des techniques similaires et sans différences de qualité notables.

Plat de majolique, Caffaggiolo (XVIIIe siècle).

Méthode de fabrication
Sur un biscuit en argile blanche, on applique un vernis blanc, satiné ou mat, sur lequel sera peint le motif choisi. De nombreux pots d'apothicaire sont en majolique.

THÈME 17 PAS À PAS

Pot d'apothicaire

Ce chapitre propose de décorer un pot d'apothicaire selon la technique de la majolique. Le motif, formé de feuilles stylisées plusieurs fois reproduites sur l'objet, est composé en deux tons de bleu sur fond blanc.

Voici le dessin qui sert de modèle pour décorer le pot d'apothicaire.

Motif à reporter sur la céramique avec le papier calque.

MATÉRIEL

1. Pot en biscuit rappelant les pots d'apothicaire
2. Pot d'engobe bleu foncé
3. Papier carbone
4. Papier calque
5. Crayon à papier
6. Pinceau plat n° 14
7. Pinceaux ronds n°s 2, 4 et 6
8. Papier de verre extra fin
9. Éponge synthétique
10. Papier absorbant
11. Récipient pour l'eau
12. Peintures à l'eau : bleu clair et bleu foncé
13. Pot de vernis transparent

1 Là encore, on commencera par poncer le pot afin d'en supprimer tout défaut.

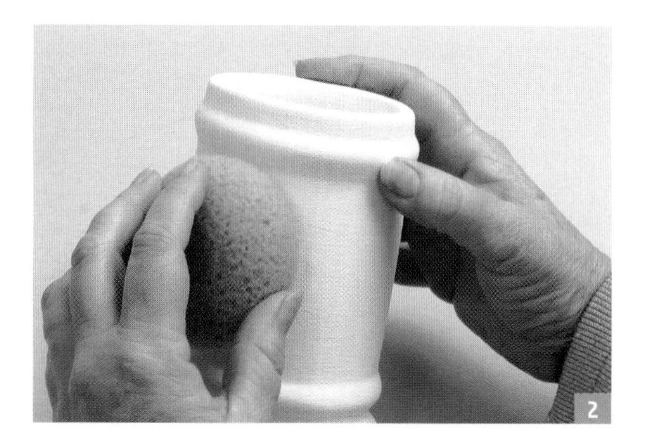

2 Passez une éponge humide pour ôter la poussière créée par le ponçage.

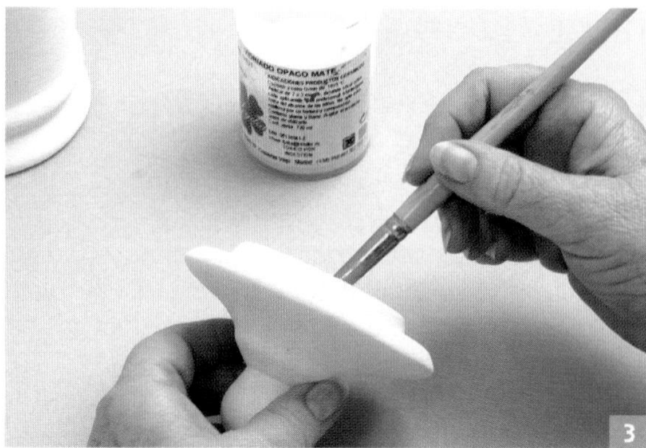

3 À l'aide du pinceau plat n° 14, passez une couche de vernis à l'intérieur du pot ainsi qu'à l'intérieur du couvercle.

4 Toujours avec le pinceau n° 14, vernissez l'extérieur du pot et du couvercle.

5 Appliquez une deuxième couche de vernis à l'intérieur du pot et du couvercle.

6 Répétez la même opération à l'extérieur du pot et du couvercle.

7 Reportez sur le papier calque le dessin reproduit au préalable.

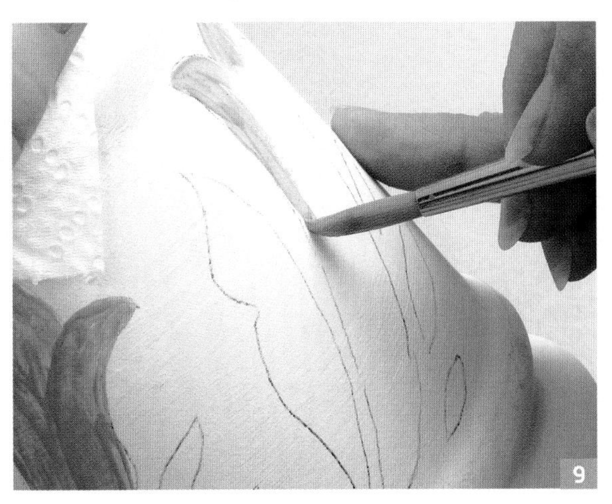

8 Disposez le papier carbone sur le pot, et par-dessus le papier calque sur lequel a été reproduit le dessin. Reportez avec votre crayon à papier le dessin sur le pot d'apothicaire.

9 Chargez votre pinceau rond n° 6 de peinture à l'eau bleu clair et commencez par peindre les feuilles.

10 En suivant le modèle, répétez la même opération mais cette fois en utilisant la peinture bleu foncé.

11 Avec le pinceau rond n° 2 chargé d'engobe bleu foncé tracez sur la base et le col du pot, ainsi que sur le capuchon du couvercle, de petites lignes en forme de S ouvert.

12 Appliquez deux couches d'engobe bleu foncé sur le capuchon du couvercle et sur la base du pot. Il faut attendre que la première couche soit parfaitement sèche pour appliquer la seconde.

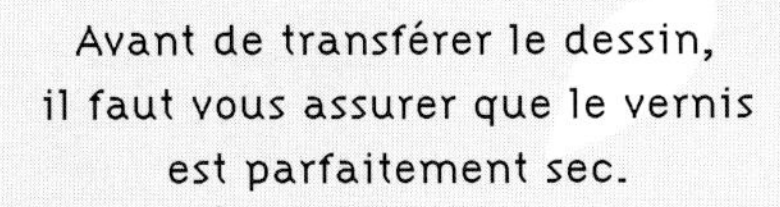

Votre pot d'apothicaire
sobrement décoré
trouve sa place aussi
bien près d'un lavabo
que sur un meuble
de cuisine.

THÈME 18

LES ENGOBES

Qu'est-ce qu'un engobe ?

L'engobe est un enduit terreux et assez fluide, à consistance crémeuse. Il peut être de couleur naturelle ou coloré avec des oxydes métalliques. Les engobes colorent les argiles et servent de base à de nombreux types de décoration.

Sur quel support l'appliquer ?
Les engobes peuvent être appliqués aussi bien sur des argiles rouges que sur des argiles blanches, crues ou cuites. Cette technique convient parfaitement à l'argile non cuite et humide mais il est possible également de mettre un engobe sur une céramique cuite.

Mode d'application
Il suffit de passer une première couche d'engobe dilué dans 50 % d'eau. Lorsque cette couche est sèche, on en applique trois autres, en veillant à ne passer la couche suivante que lorsque la précédente est sèche.

Une astuce
Le fait d'humidifier avec une éponge l'objet à peindre permet à l'engobe de mieux pénétrer à l'intérieur de la céramique cuite et de lui donner un meilleur fini.

Caractéristiques de l'engobe

L'engobe s'adapte à de nombreuses techniques et intervient donc dans des décorations variées.

L'absence de toxicité

Les engobes ne sont pas toxiques, aussi peut-on les utiliser pour des objets à usage alimentaire. Bien entendu, il faut dans ce cas utiliser aussi un vernis non toxique.

Un excellent pouvoir couvrant

Une décoration sur céramique exige généralement l'application de trois couches de peinture. Pour sa part, l'engobe est si couvrant que, si l'on en passe trois couches, il est capable de recouvrir une couleur appliquée antérieurement.

La couleur

Les engobes présentent un large éventail de couleurs, ce qui n'empêche pas d'en créer de nouvelles en les mélangeant entre eux. La température de la cuisson modifie aussi la teinte de l'engobe : à basse température il a tendance à s'éclaircir, tandis qu'il s'assombrit à une température élevée.

La décoration sur engobe

On peut peindre sur l'engobe. Celui-ci accepte les peintures, vernis et pâtes à relief.

Pâte à relief
Les engobes peuvent recevoir des pâtes à relief d'aspect mat ou brillant. Toutefois, ces dernières ne cuisent pas toutes à la même température, il faut donc les choisir avec attention.

Sur l'engobe de couleur claire
Comme sur le biscuit, les peintures à l'eau (de type aquarelle) peuvent être utilisées sur l'engobe. On applique ensuite un vernis transparent brillant ou satiné sur l'objet décoré.

Engobe et émail
Les engobes reçoivent des peintures émaillées. Mais il est prudent de lire la notice qui accompagne ces dernières afin d'en connaître les caractéristiques exactes et de vérifier leur compatibilité avec l'engobe. Dans tous les cas, on ne vernit que l'engobe.

Autres applications

Les engobes se prêtent aussi à d'autres techniques, comme le sgraffite et celle qui imite le stuc.

Le sgraffite simple

On passe d'abord trois couches d'engobe sur l'objet en céramique. Puis, à l'aide d'un grattoir, d'une pointe métallique ou d'un cutter, on creuse progressivement le revêtement d'engobe, jusqu'à ce qu'apparaisse la couleur du support. On reproduit ainsi le motif choisi, en éliminant l'engobe.

Le sgraffite ton sur ton

Le sgraffite s'utilise aussi avec une couleur de base, de la manière suivante : passez successivement trois couches d'engobe de la couleur choisie et donnez une cuisson à l'objet. Puis, appliquez trois couches d'engobe d'une autre couleur. Après séchage, grattez les dernières couches pour faire apparaître la première couleur d'engobe dessinant ici le contour des feuilles.

Un fini satiné

Les engobes peuvent donner un aspect satiné à l'objet peint sans qu'il soit besoin de les vernir. Cette technique est appelée stuc ou stucage. Après avoir appliqué trois ou quatre couches d'engobe, on passe une éponge humide sur l'objet en dessinant des cercles, jusqu'à l'apparition d'un brillant satiné.

Plateau décoré

Ce chapitre propose de décorer un plateau avec un engobe. Le motif choisi est abstrait et basé sur la combinaison de couleurs présentant chacune une texture différente.

Voici le dessin qui formera le décor du plateau.

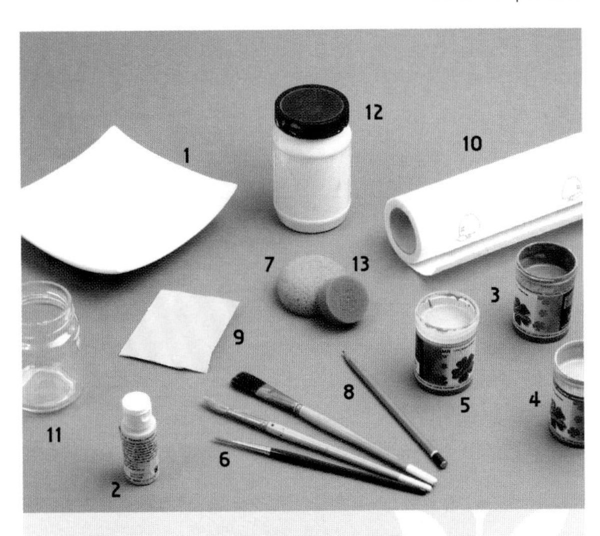

MATÉRIEL

1. Petit plateau en biscuit
2. Peinture émaillée noir métallisé
3. Peinture carmin
4. Engobe rose
5. Engobe blanc
6. Pinceaux n°s 6 et 12 et pinceau plat de 2 cm de large pour appliquer le vernis
7. Éponge à grain moyen
8. Crayon à papier
9. Papier de verre
10. Papier absorbant
11. Récipient pour l'eau
12. Vernis transparent brillant
13. Éponge pour nettoyer

1 Avec le papier de verre, commencez par poncer le plateau en biscuit pour en rendre la surface bien lisse et sans aspérité.

2 Passez ensuite une éponge humide sur le plateau pour ôter la poussière due au ponçage.

3 Dessinez au crayon à papier des lignes ondulées en prenant modèle sur le dessin présenté au début de ce chapitre.

4 Chargez maintenant d'engobe blanc le pinceau n° 6 et passez-en trois couches.

5 Recommencez la même opération mais en utilisant le pinceau n° 12 que vous chargez de peinture noire. La peinture noire ne doit pas déborder sur la peinture blanche et aucun espace ne doit demeurer entre les deux couleurs.

6 Vous pouvez désormais appliquer de façon homogène la peinture émaillée, de haut en bas. Cinq couches sont nécessaires pour bien couvrir la surface.

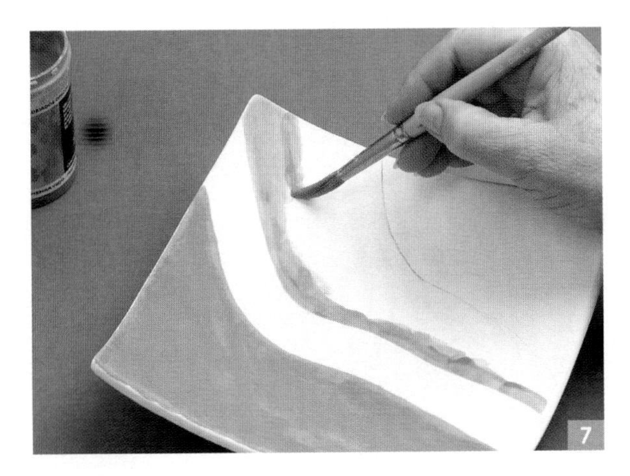
7

7 Après avoir soigneusement nettoyé le pinceau n° 12, appliquez quatre couches de peinture carmin sur les zones du dessin correspondantes.

8

8 Terminez en appliquant à l'éponge trois couches d'engobe rose et en prenant soin de ne pas tacher la peinture carmin.

9

9 Lorsque toutes les couleurs sont complètement sèches, poncez légèrement les rebords du plateau pour égaliser les différentes couches de peinture.

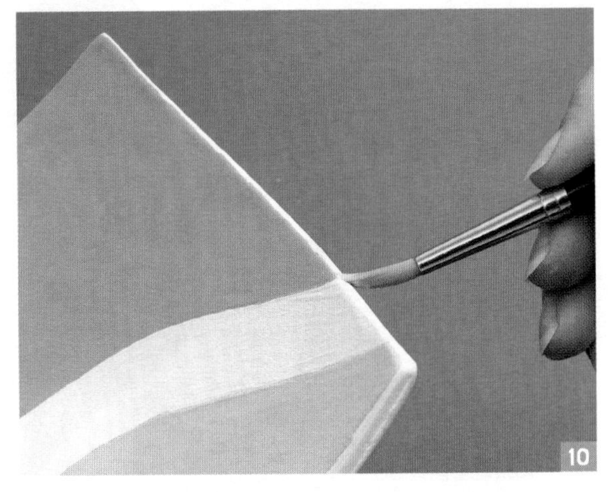
10

10 Étendez maintenant le vernis transparent brillant sur les rebords que vous venez de poncer, en veillant à ce que le vernis ne déborde pas sur les couleurs du plateau.

11 Posez enfin le plateau à l'envers sur du papier absorbant ou une surface très propre. Appliquez alors trois couches de vernis sur le dessous du plateau qui n'a pas été peint. Laissez sécher 48 heures avant de passer le plateau au four à une température de 1 020 °C.

11

Remarquez le
changement, avant
et après cuisson,
de ce plateau
aux motifs abstraits.

THÈME 19

LES PEINTURES SUR ÉMAIL (1)

Les couleurs utilisées pour peindre sur porcelaine sont appelées couvertes ou peintures de troisième feu car on les applique sur un objet qui a déjà reçu a deux cuissons. La première a transformé l'argile en biscuit et la deuxième l'a revêtue d'une couche vitrifiée. La troisième cuisson intervient après décoration de l'objet au moyen de couvertes.

Où trouver ces peintures ?

Ces peintures se trouvent dans les magasins spécialisés, qui les proposent sous plusieurs formes. Les plus répandues sont les peintures en godet, en tube et en poudre.

Peintures en tube
Cette présentation est la même que pour les peintures à l'eau en tube. On dépose une petite quantité de peinture sur une palette et, si nécessaire, on la dilue avec une faible quantité d'eau pour la fluidifier et l'étendre plus facilement.

Peintures en poudre
Il s'agit de la présentation la plus utilisée pour peindre sur la porcelaine. La poudre contient des composants métalliques, ainsi qu'un fixateur facilitant la stabilisation de la peinture lors de la troisième cuisson. Ce fixateur se compose de sable blanc, de minium et de borate. Rien n'empêche de mélanger les couleurs, sachant toutefois que la cuisson les modifie.

Peintures en godet
Ces peintures se présentent sous le même conditionnement que les peintures type aquarelle, en petits godets de porcelaine. Et, comme elles, elles se diluent avec de l'eau.

Les solvants

Les solvants s'utilisent avec la peinture en poudre, car celle-ci se dilue dans des huiles liquides. La méthode de dilution employée dépend de la technique utilisée pour peindre. Les solvants les plus fréquemment utilisés sont l'essence de térébenthine, l'essence grasse et l'essence de lavande, ou encore le white spirit.

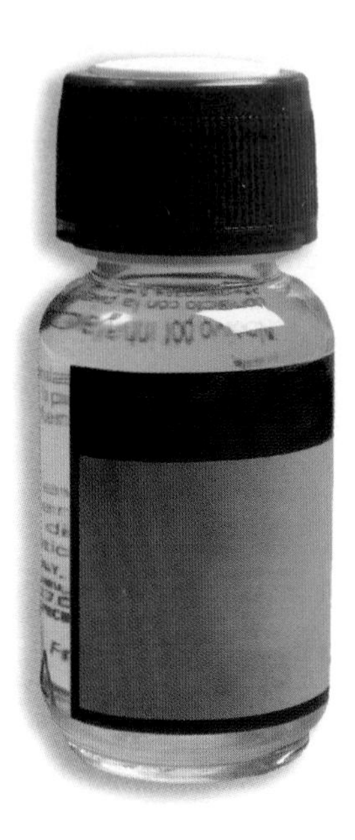

Essence de térébenthine
L'essence de térébenthine est obtenue par distillation à partir de certaines espèces de conifères. Elle donne de la fluidité au mélange et permet de travailler plus aisément. On l'utilise aussi pour nettoyer les pinceaux.

Essence grasse
À l'essence de térébenthine a été ajouté de l'oxygène. L'essence grasse se trouve facilement dans le commerce, mais on peut la préparer soi-même. Il suffit de verser une faible quantité de térébenthine dans un petit récipient qui est laissé à l'air libre. Au bout de quelques jours, on obtient de l'essence grasse.

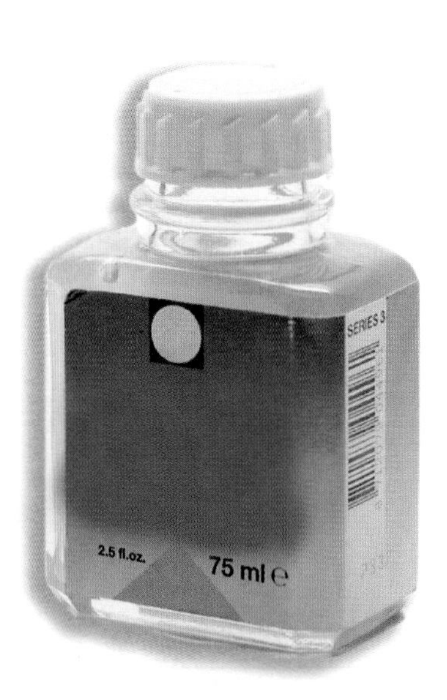

Essence d'œillet.

Essence de lavande
Cette essence naturelle conserve leur fluidité aux peintures. Elle est surtout utilisée pour réaliser des fonds de décoration et on la trouve dans les magasins spécialisés dans les fournitures de dessin. D'autres essences, comme l'essence d'œillet, ont la propriété de retarder le séchage des peintures. On se sert aussi d'huiles végétales, comme celle extraite de l'olive ou de l'amande douce que l'on utilise pour les bébés.

Les pinceaux

Le pinceau est un outil fondamental,
avec lequel se réalise la peinture sur émail.
Même si quelques conseils ne sont pas inutiles,
c'est un outil très personnel : son choix et
la manière de l'utiliser sont fonction des goûts
et des préférences de chacun.

Pinceaux en poils de martre
Ce sont les meilleurs, mais aussi les plus chers. Quatre pinceaux allant des numéros 00 à 4 et un pinceau plat n° 10 en poils de martre suffisent au peintre sur porcelaine. Ces pinceaux sont idéals pour les décorations délicates, car ils ne marquent pas la peinture.

Entretien du pinceau
Le pinceau est l'instrument le plus précieux pour peindre sur porcelaine. Pour répondre à vos attentes, il doit toujours être en parfait état. Par exemple, on ne l'utilisera pas pour mélanger des couleurs, mais on lui préférera la spatule. De même, on le nettoiera à l'essence de térébenthine et jamais avec de l'alcool.

Autres pinceaux
Il existe une grande variété de pinceaux destinés à des usages différents et dont la qualité varie en fonction de leurs poils. Certains sont faits de poils de bœuf ou d'écureuil, mais il y en a aussi de synthétiques, pour ne citer que ceux-là. Dans le choix d'un pinceau, on accordera beaucoup d'attention à sa pointe et à la douceur des poils qui le constituent.

Autres ustensiles nécessaires

Hormis les pinceaux, plusieurs instruments facilitent la peinture sur porcelaine et doivent figurer à l'attirail du peintre.

La palette

Une surface rigide est nécessaire pour disposer les couleurs qui seront utilisées pour la décoration. Une plaque de verre, par exemple, ou un carreau de céramique blanc vitrifié peuvent tenir lieu de palette. La meilleure des palettes qui soit est la plaque en opaline car les couleurs s'y détachent avec netteté. La même visibilité est obtenue en disposant un papier blanc sous une plaque de verre.

La spatule

Une petite spatule en acier avec un manche en bois se révèle idéale. Elle doit être souple, ni trop rigide ni trop molle, et d'une taille adaptée à la main qui l'utilise.

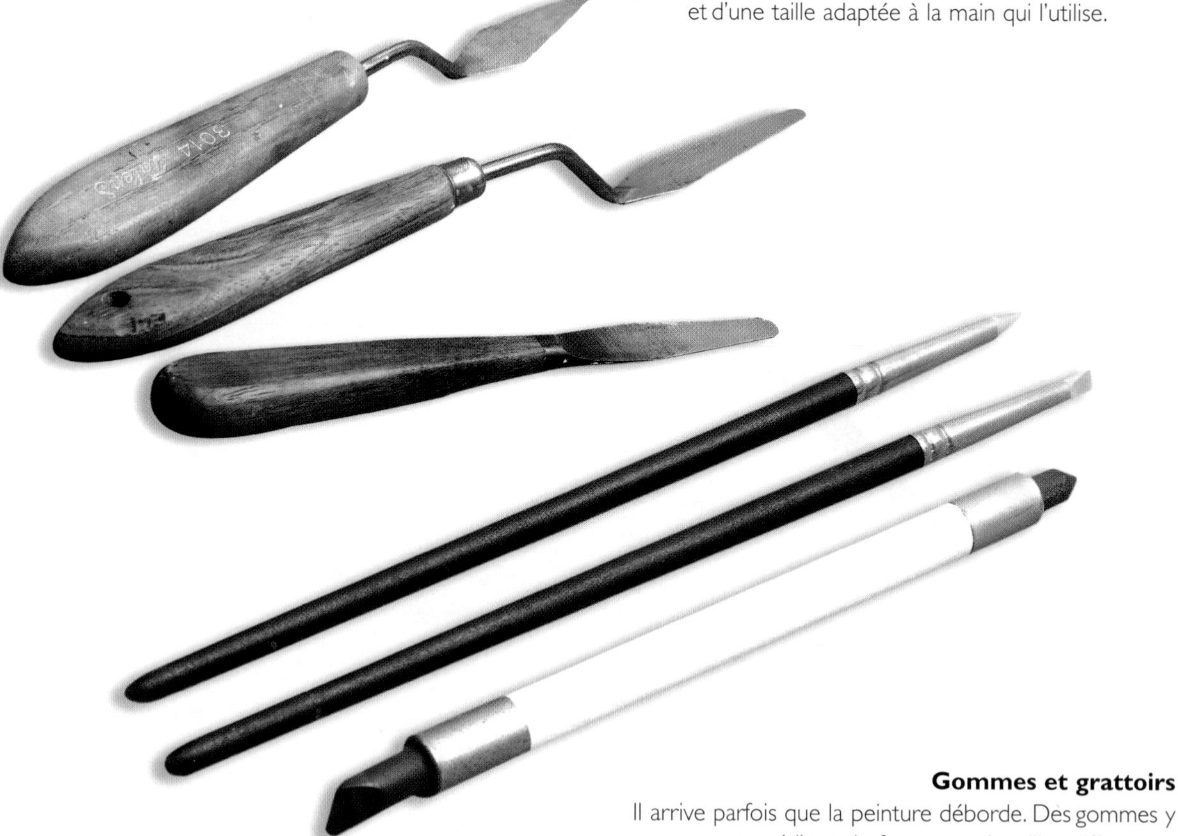

Gommes et grattoirs

Il arrive parfois que la peinture déborde. Des gommes y remédient, de formes et de tailles différentes. Un grattoir, à la pointe d'acier effilée, permet d'ôter la peinture après séchage.

Assiette fleurie

Nous allons décorer une assiette en porcelaine en utilisant la peinture sur émail. Le dessin se compose de traits fins qui se superposent et s'entrelacent pour donner un motif délicat, fin et précis. Sa réalisation requiert une grande minutie et beaucoup d'attention.

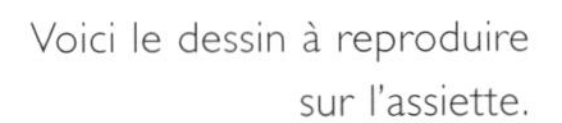

Voici le dessin à reproduire sur l'assiette.

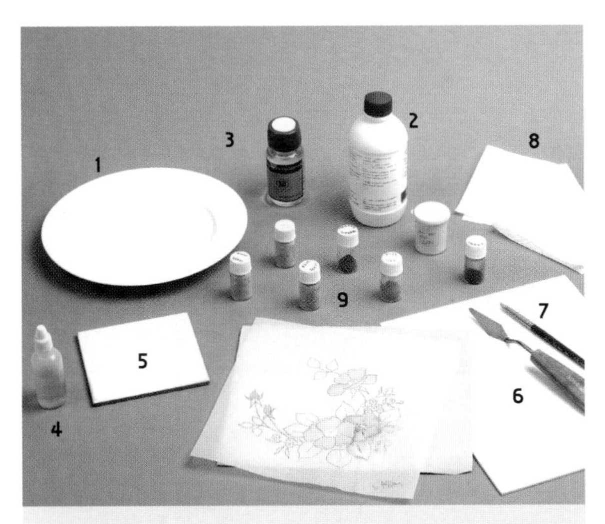

MATÉRIEL

1. Assiette en porcelaine
2. Alcool modifié
3. Essence de térébenthine
4. Huile
5. Palette en verre ou carreau en céramique
6. Spatule
7. Effaceur
8. Papier absorbant
9. Peintures en poudre : rose, bleu, jaune, noir, vert foncé, bleu-vert et marron foncé

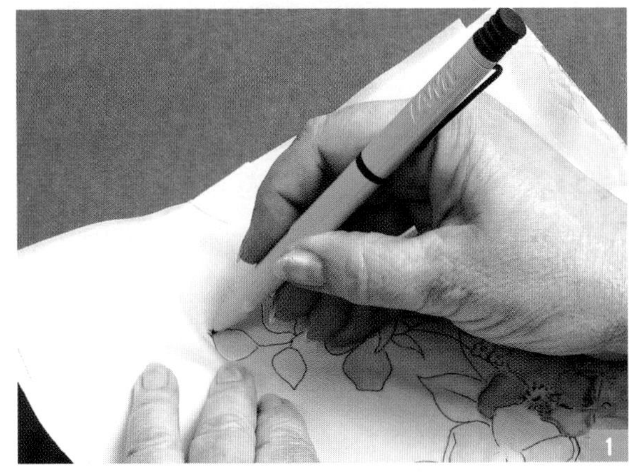

1 Nettoyez l'assiette à l'alcool puis séchez-la parfaitement. Décalquez ensuite le dessin.

2 Préparez les couleurs. Déposez-en une petite quantité sur la palette à l'aide de la spatule et ajoutez une goutte d'huile.

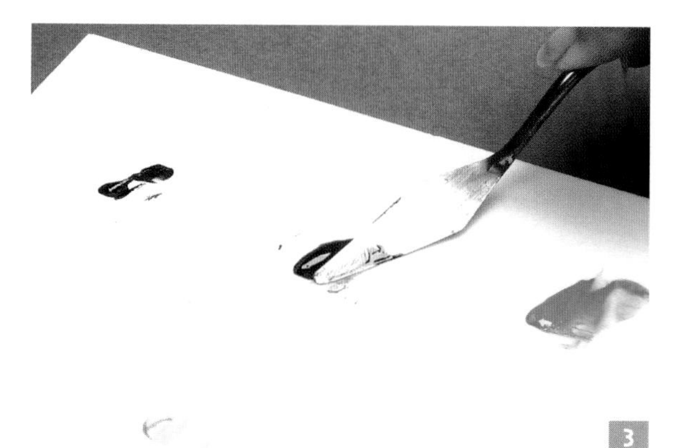

3 Au fur et à mesure que vous préparez une nouvelle couleur, déposez-la à la suite des autres sur la palette.

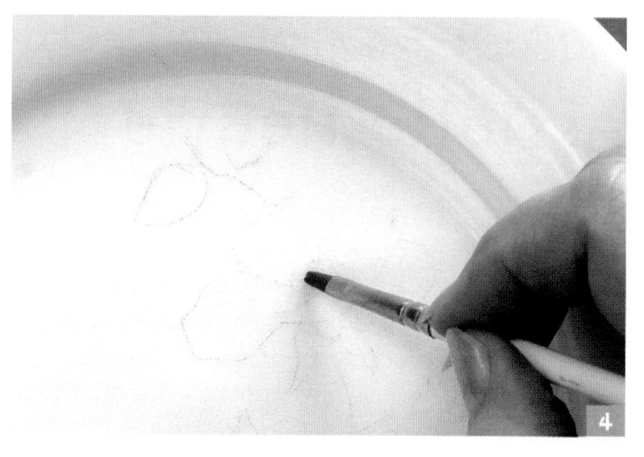

4 Maintenant vous pouvez charger le pinceau plat n° 2 de peinture jaune pour peindre le cœur des roses.

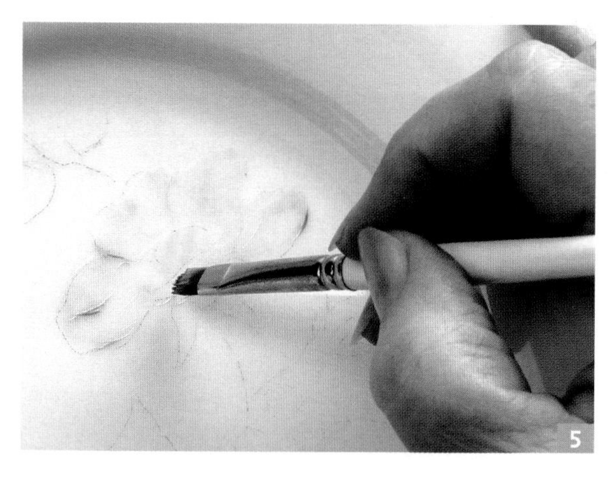

5 Peignez ensuite en rose les pétales à l'aide du pinceau n° 4, en allant de l'extérieur vers l'intérieur.

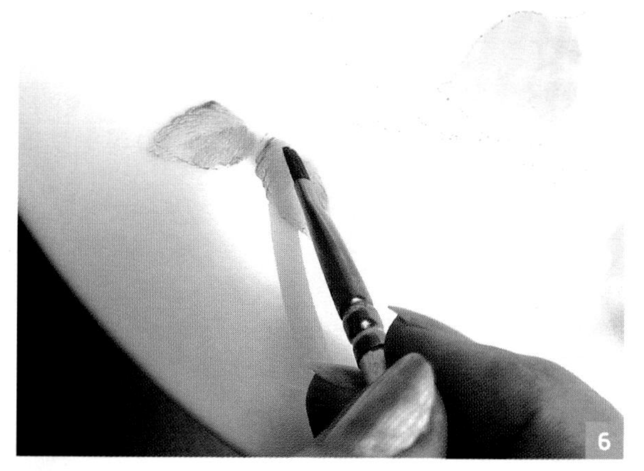

6 Peignez en vert foncé, de chaque côté de la nervure centrale, les feuilles des roses en passant le pinceau de la base de la feuille vers la pointe.

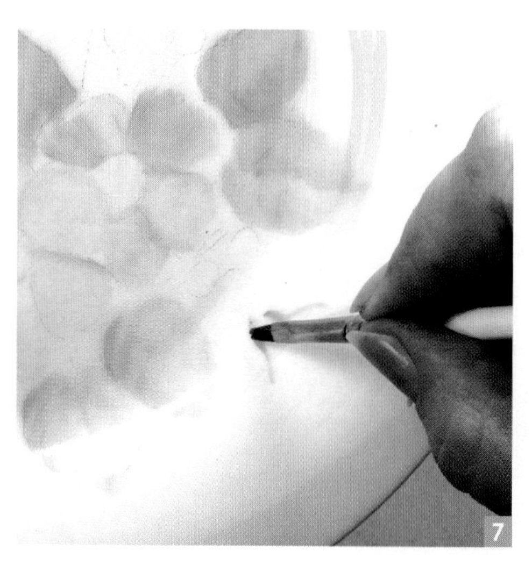

7 Prenez maintenant la peinture bleu-vert et peignez les feuilles des myosotis en traçant un trait assez large.

8 D'une touche légère, peignez successivement les cinq pétales des myosotis.

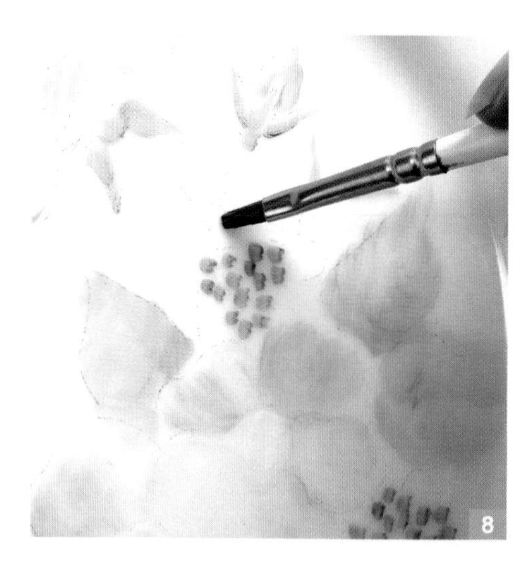

9 Représentez avec la peinture jaune le cœur des myosotis.

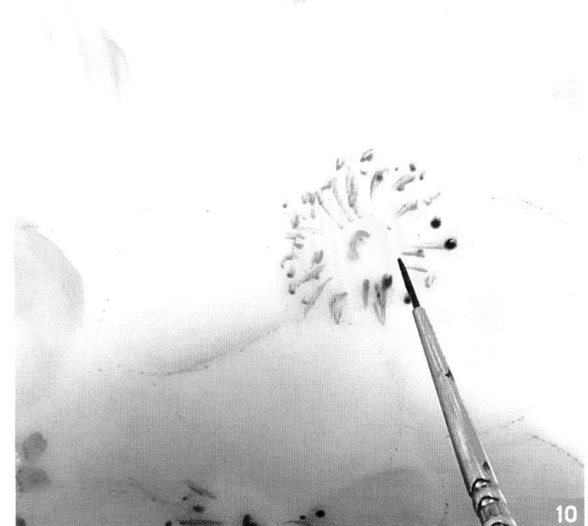

10 Prenez maintenant le pinceau n° 00 légèrement chargé de peinture marron, avec laquelle vous reproduirez le pistil des roses.

Si on le désire, on peut à ce stade cuire la pièce au four pour fixer les couleurs. Le travail de retouche éventuellement nécessaire sera plus aisé et l'on pourra appliquer les couleurs restantes sans risquer d'abîmer celles qui sont déjà réalisées.

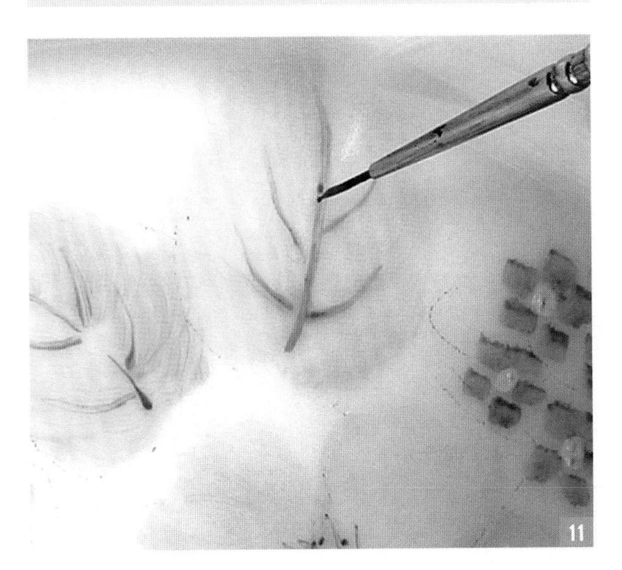

11 Après avoir soigneusement nettoyé le pinceau n° 00, peignez en vert foncé les nervures des feuilles des roses.

12 Pour finir, disposez quelques petits points autour du cœur jaune des myosotis, destinés à rehausser les fleurs. L'assiette peut maintenant recevoir sa cuisson, à 780 °C.

Voici l'aspect final de notre assiette, une fois cuite à 780 °C.

THÈME 20

LES PEINTURES SUR ÉMAIL (2)

Les différents types de peintures sur émail

Ce sont des produits spécifiques qui s'utilisent sur l'émail déjà cuit et sur la porcelaine. On les trouve en poudre, en godet ou en tube comme les peintures à l'eau. Leur aspect varie selon la technique utilisée et l'effet recherché. Les peintures sur émail se rangent en deux grandes catégories : d'une part les pigments métalliques (dorure et argenture) et les lustres, d'autre part, la peinture dite sur porcelaine, à base de pigments minéraux (*China paints*).

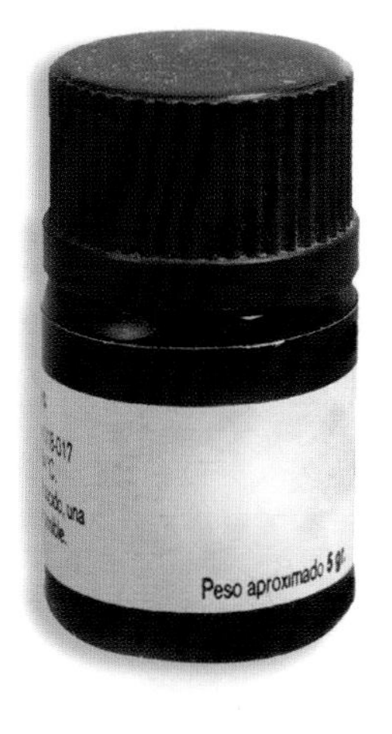

Les lustres

Les peintures lustrées s'appliquent au pinceau ou à l'aérographe. Elles contiennent un solvant spécial qui permet de diluer le brillant et ensuite de nettoyer les pinceaux. Toxiques, elles obligent à porter un masque pour éviter toute inhalation durant le travail et à bien aérer la pièce. Ces peintures reproduisent l'aspect de la base sur laquelle on les applique. Elles sont brillantes sur une base brillante et elles deviennent mates sur une base mate.

Les pigments métalliques

Les flacons de peinture or et argent supportent mal d'être agités. On applique leur contenu à l'aide d'un pinceau ou d'une plume, en particulier pour obtenir un tracé très fin. La couche de peinture doit être fine et uniforme, et passée de préférence en une seule fois. Elle s'applique rapidement avant qu'elle ne sèche sur la palette.

Les peintures nacrées

Elles s'apparentent à la technique des lustres. Une seule couche, appliquée avec légèreté, suffit pour produire l'effet nacré. Très transparente, elle ne modifie pas la couleur sous-jacente. Inutile d'agiter le flacon pour l'homogénéiser. En revanche, on le refermera avec soin après avoir déposé une petite quantité de son contenu sur la palette.

Préparation du travail

Le chapitre précédent vous a donné des indications concernant l'application des peintures sur émail. Celui-ci apporte quelques informations complémentaires pour parvenir au résultat souhaité dans les meilleures conditions.

Le plan de travail

Le plan de travail doit être parfaitement propre et dépoussiéré, pour éliminer les risques de salir l'objet qui a été nettoyé. Le local doit être bien aéré car ces peintures sont toxiques.

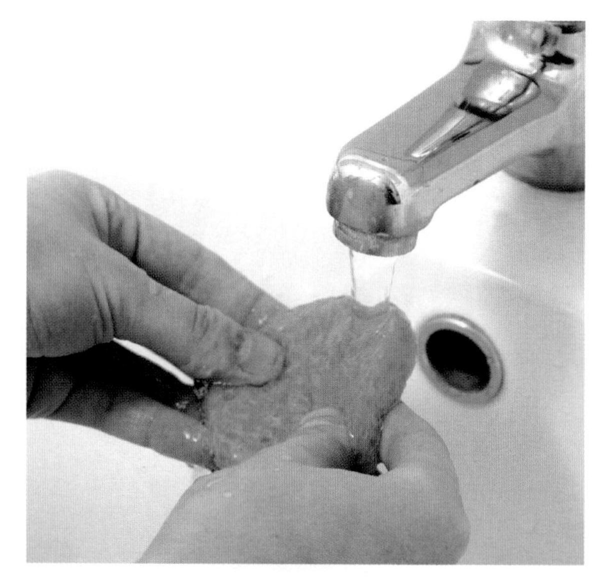

Nettoyage de l'objet

Comme nous l'avons vu pour les travaux de peinture sur céramique et sur porcelaine, l'objet à peindre doit être soigneusement nettoyé et ne présenter aucune trace de poussière. On retirera également toute empreinte digitale en utilisant un chiffon qui ne peluche pas et de l'alcool, puis on séchera l'objet jusqu'à disparition de toute humidité. Lors du travail de décoration, une serviette en papier ou un papier absorbant évitera de le manipuler à mains nues.

Les mains

Une fois propres, non grasses et bien sèches, il est recommandé de les passer à l'alcool modifié.

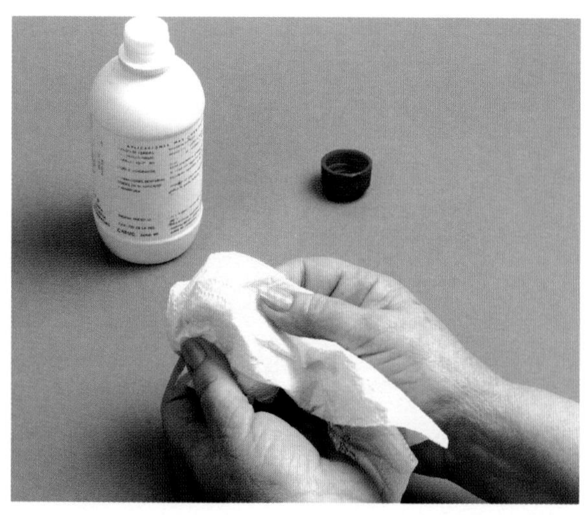

Observations sur les lustres et les pigments métalliques

Pour bien les utiliser, mieux vaut bien connaître les caractéristiques des lustres et des pigments métalliques. Il s'agit de produits très spécifiques, différents des émaux pour céramique sans plomb, et qui exigent une attention particulière.

Leur action

Les lustres et les pigments métalliques sont des substances toxiques qui doivent être manipulées avec précaution. Certains fabricants déconseillent leur usage aux femmes enceintes. Ils permettent de réaliser des décorations très esthétiques, et en particulier sur la porcelaine vitrifiée. Les lustres forment une pellicule sur l'objet vitrifié et ne se fondent pas dans le vernis ou l'émail.

Le lustre nacré

C'est le plus utilisé en peinture sur céramique. Il rehausse les couleurs et leur donne des reflets vitrifiés. Il est recommandé d'utiliser un pinceau différent pour chaque type de lustre (mat, brillant ou nacré).

L'or et l'argent

L'argent sera mis en valeur sur une base grise ou bleue. Si l'on souhaite renforcer la couleur jaune de l'or, on l'utilisera sur un fond vitrifié jaune. Appliqué sur une couleur grenat, il évoquera l'or rouge. Pour corriger une touche de pinceau, le meilleur solvant se révèle être la salive.

Comment utiliser l'or et l'argent ?

L'or comme l'argent ressortent vivement dans une décoration, aussi faut-il les utiliser avec parcimonie. Une touche de peinture dorée, par exemple, peut rehausser une décoration tout comme elle peut la surcharger et donc la déprécier.

Boutons de couvercle et anses

Les cafetières, tasses, carafes et autres objets en porcelaine sont souvent ornés d'une touche de peinture dorée. L'or et l'argent s'appliquent avec discernement et discrétion.

Bordures

Les lignes essentielles d'un objet (le rebord d'une tasse, le col d'une carafe, la base d'un vase, etc.) sont souvent rehaussés d'un filet doré ou argenté. L'or confère un caractère précieux à l'objet et exerce une certaine fascination visuelle.

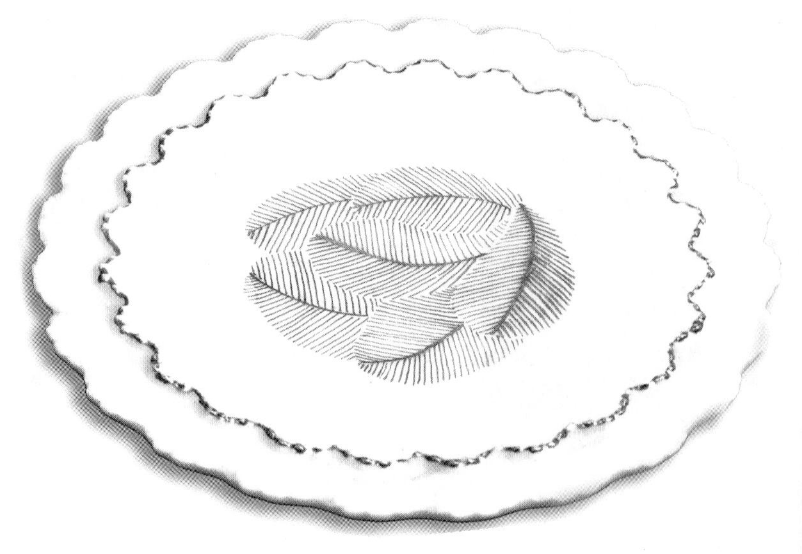

Guirlandes

Les guirlandes, tels les arabesques et le filigrane, constituent un décor qui se prête remarquablement à l'emploi de l'or. D'une grande délicatesse, elles nécessitent un dessin très fin, souvent réalisé à la plume.

THÈME 20 PAS À PAS

Petit plateau
décoré à l'or

L'or seul permet des décorations très attrayantes, à condition d'être utilisé avec discrétion. Dans le cas contraire, l'objet surchargé de dorure devient lourd et désagréable à l'œil.

Voici le dessin à reproduire sur le plateau.

Avant de commencer, lavez-vous soigneusement les mains à l'eau et au savon. Après les avoir séchées, achevez de les purifier avec un linge. Elles ne doivent en effet conserver aucun corps étranger, aucune trace de transpiration.

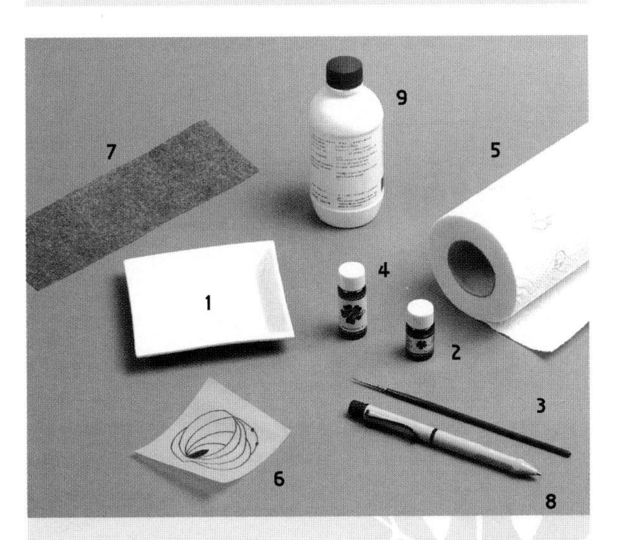

MATÉRIEL

1. Petit plateau en porcelaine
2. Or brillant liquide
3. Pinceau n° 00
4. Diluant
5. Papier absorbant
6. Patron
7. Papier carbone
8. Stylo ou pointe
9. Alcool modifié

1 La première étape, essentielle, consiste à laver soigneusement la pièce à l'alcool pour éliminer toute impureté : poussière, graisse, traces de doigts, etc.

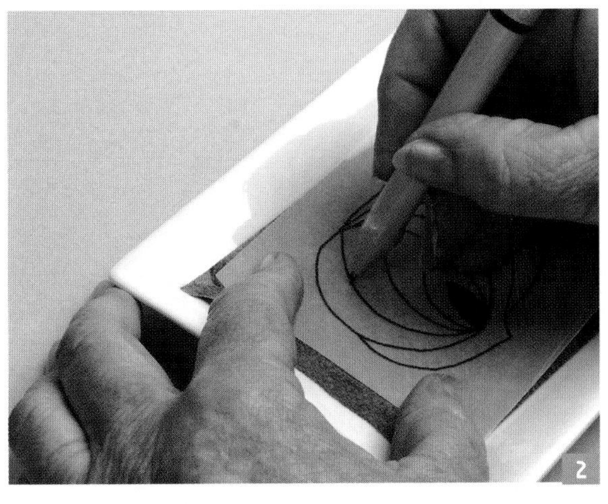

2 Une fois le plateau complètement sec, décalquez le motif décoratif. Pour cela, placez le papier carbone sur l'objet et, par-dessus, le patron portant le motif à dessiner.

3 Posez le flacon d'or liquide sur une surface plane afin qu'il soit bien stable et ne risque pas de se renverser. À l'aide du pinceau n° 00, préalablement trempé dans l'or, commencez à dessiner avec application et prudence, en suivant le modèle.

4 Le motif choisi comporte en son centre une zone dorée. Appliquez l'or en couche fine, mais homogène. La couleur doit tirer sur le marron foncé.

Le pinceau utilisé pour l'or doit être réservé exclusivement à cet usage. S'agissant d'un produit très onéreux, il est préférable de ne pas laver le pinceau. Placez-le sur un torchon imbibé de solvant à l'intérieur d'une boîte fermant si possible hermétiquement.

5 Pour dorer le rebord du plateau, la meilleure méthode consiste à tremper le bout de l'index dans l'or et à le passer ensuite sur la bordure, tandis que l'autre main fait tourner le plateau.

6 Le petit plateau est désormais prêt à recevoir une cuisson dans le four à céramique porté à 700 °C. La même méthode s'applique avec l'argent.

Achevé d'imprimer en mai 2003
sur les presses de l'imprimerie Clerc, France

Le petit plateau,
finement décoré,
est maintenant prêt
à être employé.